조국현상을 말한다

조국현상을 말한다

_2012 진보가 집권하지 않아야 하는 이유

초판 1쇄 펴낸날 2011년 6월 30일
재판 1쇄 펴낸날 2011년 9월 1일
개정 14쇄 펴낸날 2011년 11월 13일

지은이 김용민
펴낸이 김상호
편집장 유병철
편 집 홍지은
펴낸곳 미래를소유한사람들
　　　　등록 | 제 320-2006-24호
　　　　주소 | 서울시 송파구 문정동 289 가든파이브 웍스 B동 611호
　　　　전화(Fax) | 02-2047-0191~2 (2047-0190)
　　　　E-Mail | misodeul@naver.com

ISBN　　978-89-6217-038-2 03340
정 가　　12,000 원

조국현상을 말한다

曺國現象

2012 진보가 집권하지 않아야 하는 이유

글 김용민 (시사평론가)

들어가는 글

'조국 현상'은 흥미롭다. 서울대 법학전문대학원 교수 조국 개인에 대한 인기에 더해 인터넷에 기반을 둔 여론이 상향식 논의를 통해 지도자감으로서 그 개인을 저울질하는 흐름이기 때문이다. 저술과 온라인 의견을 통해 국가 경영 비전을 제시하는 조국의 진지하며 열의있는 소통 노력 또한 이목을 모으게 한다. 조국이 정계에 입문해 국가지도자로서 자기 몫을 다할 경우 연緣, 조직, 금전 동원, 인지도가 중시되던 한국 정치 현실의 구도 자체가 흔들릴 것이기에 예의주시하게 된다.

이 책은 조국 개인과 그 조국을 둘러싼 정치 구도, 시대정신을 보여줌으로써 독자에게 조국 현상에 대한 이해를 도우려 한다. 그런 의미에서 조국을 2017년의 대선주자로서 시뮬레이션한다. 목전인 2012년에 비정치인인 조국의 공무담임권 행사가 여의치 않다는 판단도 작용했지만, 대통령이 되기까지 최소 5년여의 시간이 적절하겠다는 계산이 가미된 것이다.(조국과 2022년을 엮어 예상하는 것은 내 능력 밖의 일이다.) 한국 정치의 적폐, 금권 추구, 지역감정, 줄 세우기, 포퓰리즘의 쓴 뿌리가 사라지고 콘텐츠로 국민의 선택을 받기로는 2017년이 적기라고 짐작한 면도 있다.

그렇다고 이 책이 조국에 대한 일방적인 옹호, 지지의 글로 채워진 것은 아니다. 아직 나 역시 조국을 눈여겨보는 중이다. 그리고 그가 이제껏 발산한 긍정적 이미지가 훗날 정계에 입문했을 때에 보여줄 정치적 역량과 반드시 일치할 것이라는 판단을 자신할 단계는 아니다. 그러나 조국이 지금까지 살아온 삶의 무게와 진정성이 결코 가볍지 않음은 확언한다. 또한 조국 외에 2017년의 유력주자로 꼽히는 이들 역시 한 명 한 명 모두 이 나라 정치의 소중한 자산이기에 그들의 가능성과 역량을 약하게 보는 것 또한 아니다. 그러나 2017년은 한나라당이 야당준비를 단단히 해야 한다는 판단에는 무려 6년이나 남은 이 시점에도 자신 있게 예측할 수 있다.

다만 아쉬운 점은 정치가 비상한 각오와 대단한 자기희생이 있어야 하는 금단 또는 특권의 영역처럼 돼 버린 현실이다. 이처럼 정치 문턱이 높은 것은 문제다. 쉽게 들어가 쉽게 나올 수 있어야 한다. 울타리가 있는 정치 구조 속에서는 일단 그 안에 발을 딛는 순간 자기가 살아온 가치 모두를 부정, 파괴하도록 만든다. 조국은 정치 참여에 대해 깊은 고심을 하는 것으로 알고 있다. 법학자였다가 정치인으로 변신하는 행위를 기득권 추구로 인식하는 관점 때문일 것이다. 이런 족쇄를 민주주의와 진보의 가치를 옹호하는 이들이 먼저 풀어줘야 한다고 생각한다. 그래서 건강한 정치적 자아를 가진 이들이 정치권에 보다 다양하게 입문함으로써 때가 되면 무대로 나올 수 있도록 활로와 퇴로를 열어줘야 한다.

"정치하고 싶어? 네가 열심히 뛰어봐. 그러면 지지할지 말지 고민 좀 해 볼게."

이런 유권자가 많은 나라에서 양질의 정치 지도자를 기대하기란 어렵다. 현대 정치에서는 생산자와 소비자의 벽이 사라졌다. 소비자가 생산자를 추동할 수 있는 사회가 온 것이다. 조국에 대한 관심이 정치인 조국을 키우는 힘으로 확대될까. 이 책이 그 가능성을 진단하는 독자에게 도움이 됐으면 하는 바람이다.

재판을 발행하며

졸고가 초간 2개월 만에 재판을 찍게 됐다. 과분한 사랑에 감사하다. 이 책의 제목은 '조국 현상을 말한다'이다. 그리고 부제는 '2012년 진보가 집권하지 않아야 하는 이유'이다. 그런데 '조국'은 '2012년'과 무관한 '2017년 주자'로 상정했다. 스펙트럼의 다양성은 인정할 수 있어도, 논점의 산만함은 인내할 수 없다는 독자의 비판이 솔직히 걱정됐다.

그러나 논리는 간단하다. '2012년, 총선에서 이른바 민주진보개혁 진영이 원내 의석 절반을 훌쩍 넘는 완승을 한다. 그리고 이어지는 대선, 민주당과 진보정당으로 상징되는 야당 진영의 패배로 귀결되더라도 지나치게 낙담하지 말자. 이런 계기를 거친 뒤라면 2017년 대선 이후부터 민주당 뿐 아니라 진보정당까지 집권할 수 있는 토대가 마련된다' 이것이다.

정치권에 연을 둔 이들은 이런 주장에 펄쩍 뛴다. 그리고 지난 4년, 민주주의의 조종이 울리던 시절을 경험한 '개념 시민'조차 '있을 수 없는 가정'이라며 반발한다. 사실 하루가 1년 같던 한나라당 정권을 5년 더 연장하자고 하는 주장, 이론은 물론 정서적으로도 용납하기 힘들 것이다.

일단 그 노기를 한 수 접자. 그리고 지난 4년은 왜 이토록 암울했는지 돌아보자. 권력 시스템만 놓고 보자면 명징하다. 3부(府)는 물론 언론까지 실질적으로 권력자 1인의 통제 아래에 놓여있었던 것이다. 많은 이들은 지난 4년을 '이명박'이라는 일개인의 무능과 부패가 빚어낸 일탈로 쉽게 규정한다. 이런 논리를 반대로 하면 이명박만 물러나면 광명천지가 된다는 말이 된다. '무소불위 MB 권력'을 가능케 했던 본질은 국회의 무능이었다. 감시와 견제가 전무했던 것이다. '진보 집권 플랜'이 국회 다수 의석 확보를 통한 기능과 권위 회복이 우선이라고 나는 믿는다.

우선 왜 민주개혁진보진영이 (과반을 넘는) 다수당이 돼야 하느냐. 반(反) 한나라당 진영에게 시급한 것은 '실력 입증'이다. (오해가 있을 법해 전제하는데, 이는 무능하다는 말은 아니다.) 튼실한 정책을 수립하는 것, 여당의 국정운영을 빈틈없이 견제하자는 것이다. 직선제 개헌 이후 처음으로 과반 의석을 확보하게 된 사례는 17대였다. 국민 다수는 그 때에 실망감을 준 거대 정당으로서 열린우리당을 기억한다. 정치 발전이라는 큰 공적도 있었지만 국민의 다수를 점하는 서민의 일상적 아픔에 이 당 의원들은 그리 적실한 응답을 못했다. 이 때문에 '유능한 당으로서 인정받지 못했다'는 이야기다. (못내 아쉬운 점은 능력 발휘할 기회를 고작 4년 밖에 주지 않았다는 점이다.)

당뿐 아니다. 노무현 정부는 5년 간 소수 야당 및 신문의 정략적 먹잇감이 되며 곳곳에 상흔을 남겼다. 본질적이지 않은 문제로 사사건건 발목이 잡히고, 잡힌 상태에서 번번이 쓰러지는 형국이었다. 반추하자. 단독 과반 의석을 확보한데다, 탄핵 반대를 외치는 거대 촛불시위로 정국 주도권까지 확보한 노무현 정부 및 여당은 불과 1년 좀 지나 야당과의 연정 구상을 운운하더니 이에 따른 내외부의 반발에 직면하면서 사양길에 접어들었다. 앞으로 또 이러지 말라는 법이 없다. 물론 "이러라는 법이 없기도 마찬가지"라고 할지 모르겠으나 가능성은 높다. 야당의 선거 전략을 보면 지나치게 '반 이명박 정서'에 기대고 있다. 국민에게 진보적 정체성을 인정받아 권력을 얻을 구상은 잘 포착되지 않는다. 상대의 실수에 의존하는 정치, 정체성 드러내기를 두려워하는 정치에는 주체성을 찾을 수 없다.

물론 2012년을 앞둔 상황에서 진보 진영은 최근 매우 훌륭한 아젠다를 선점했다. 이른바 '복지 플랜'이다. 수구 족벌 언론으로부터 포퓰리즘 정책이라며 야유를 받지만, 여론의 폭넓은 지지는 뚜렷하다. 복지입국. 이를 통해 각 대선캠프는 한나라당과의 차별화, 주체적 노선 확립이 가능하다고 보고 있다. 그러나 2013년에 시작할 18대 대통령에게 그 가치는 사치다. 여야를 불문한 국회의원들이 화장실에서 저마다 "다음 대권은 독배 그 자체다."라고 말할 정도다. 가계부채로 인한 경제파탄, 4대강으로 촉발된 환경파괴, 구제역 대량 매몰에 따른 보건 붕괴 등의 난맥은 5년 안에 수를 써서 해결할 수 있는 문제가 아니다. 섣부른 집권이 진보에 대한 피로, 거기서 점증된 혐오로까지 비화된다면 어떻게 할까. '이는 MB시대의 유산'이라며 참여정부 하던 식으로 권력층이 수구언론과 연일 설전을 벌이고, 국회에서도 '누구 책임이니'하는 공방으로 한나라당과 때마다 소모전을 벌이는데 시간과 정력을 소모하지 않을까.

"그럼에도 불구하고 2012년에 집권을 해서 위기를 수습하고 이를 통한 재집권의 토대를 마련할 생각을 해야지 벌써부터 패배주의에 사로잡혀서야 되겠는가", "극단적인 가정이긴 하나 한나라당이 다음 5년 권력을 또 쥐게 되면 그 때에는 나라를 팔아먹을 지도 모른다"는 비판이 나온다. 대통령 중심제 국가라 대통령의 크고 작은 권한을 다 따지면 정말 대단할 것이다. 그러나 국회 절대 다수를 점하는 이상, 그 권한도 야당의 그늘 아래에 있다. 나라 팔아먹는 일도 당연히 원천봉쇄할 수 있다.

사실 어떤 정치인도 "내가 지지하는 사람이 대통령이 되면 그 덕에 자리 하나 얻고 예산 큼직하게 따내려 한다"고 이실직고하지 않는다. 그러나 그 권력의지의 십중팔구가 정치인 본인의 생계문제 타개 및 이력 쌓기 필요와 얽혀있는 '불편한 진실'을 직시할 필요가 있다. 권력은 무섭다. 권력자가 아무리 깨끗해도 주변 인사들이 비리로 인해 추문에 휘말리는 사례는 허다하다. 국회의원도 권력이라면 권력이라 할 수 있으나, 권력 감시자로서의 역할이 상대적으로 더 뚜렷하다. 권력자가 되려는 욕구를 5년 후 일로 미루고 권력 감시자로서의 '진정성'을 보여주는 것, 국민은 여기에서 감동을 느낄 것이다.

2012년 대권 포기론이 한나라당에 대한 우호적 사고에서 비롯됐다고 해석하는 이들이 있다. 틀리지 않다. 이는 한나라당에게도 대화 정치를 터득할 기회를 주자는 논리기도 하다. 한나라당원 오세훈 시장의 서울특별시를 보라. 2010년 6.2 지방선거를 기점으로 75%를 과점해 장악한 민주당의 서울특별시의회가 견제에 나서자 여기에 반발해 무시와 대립으로 일관하더니 끝내 정치적 승부를 겨루자며 무상급식 반대투표를 선동했다. 국회의원까지 지냈고,

대선주자급 위상을 지녔다는 자의 행태가 '땡강'에 다름 아닌 현실, 위태롭기까지 하다.

소멸하기 힘들다. 그래서 결국에는 대화할 수밖에 없는 상대다. 이런 한나라당에게 타협과 양보, 성찰의 능력을 키우도록 기회를 부여해야 한다. 이는 대한민국 정치의 명운, 진보 집권 시대의 성공 여부와 무관하지 않다. 권력을 이쪽에서 쥐고 의회 다수는 저쪽에 넘기자는 주장도 있을 것이다. 그러나 국민의 정부 당시, 민주당 집권, 한나라당 다수당의 경험을 했다. 한나라당의 발목잡기는 그 때에 실컷 체험했던 바다.

수구는 자본과 결탁했다. 그래서 집권 과정에서 국정운영 능력의 정도, 도덕성 여부를 추궁 받지 않는다. 이러니 항상 집권한다. 반면 민주개혁진보진영은 늘 유능해야 하고 도덕적이어야 한다. 이는 상식체계가 돼 버렸다. 불공정한 잣대 같다. 하지만 이런 구조와 현실을 개혁하기보다 적응하는 것이 옳다. '진보의 힘'이 여기서 나오기 때문이다. 보수를 가장한 수구 기득권 세력 즉 사적 욕망에 경도된 이들이 '서민 우선' '경제 발전' 등의 허구적 구호를 앞세워 권력을 계속 껴안는 관행 또는 폐습은 국민 스스로 각성하는 과정을 거쳐 깨도록 해야 한다. 그러려면 보수의 실체를 좀 더 파악하게 해야 하며 5년의 시간은 최소한 더 요구된다고 생각하는 것이다. 외피는 '이명박 반대'인데 속내는 '부자 안 만들어줘서'라면 과연 진보는 이들의 욕망체계를 감당할 수 있을까.

야당의 집권이 수구에 대한 국민의 외면을 수반한다면 자본 역시 180도 입장을 바꾸지 않을까. 이렇게 될 경우 진보는 지속적인 집권의 기틀을 마련하게 될 것이고. 2017년 대선 즈음 그런 시대가 가능하다고 생각한다. 요컨대 '(흉계를 도모할 여당의 손발 묶고) 5년 야당 더 하자'는 주장은 '이후로 계속 여당하자'는 말과 같다. (게다가 2017년에는 시나리오 속 인물 조국 외에 김두관, 송영길, 안희정, 이광재, 이정희 등 풍부한 '에이스'가 야당에서 부각될 조짐이다. 이들은 6년여의 시간 동안 현실정치에서 좀 더 영향력을 키우고 단련하면서 '숙성'되는 과정을 거칠 것이다. 그런 점에서 보면, 5년은 그리 길지 않다.)

그러나 이러한 나의 그림은 어그러질 것 같다. 2012년, 한나라당의 선거 승리 가능성이 희박할 것이라는 짐작 때문이다. 이는 반대 진영이 총선과 대선에서 완승을 거둘 가능성이 높다는 전망과 같은 말이다. 이명박 탓(보기에 따라서는 '덕') 때문이다. 야당은 '어찌됐든 청와대 열쇠를 되찾아오면 좋은 것 아닌가'라고 생각해서는 안 된다. 승리의 축배를 들 때쯤에는 국민이 도탄에 빠져 있을 가능성이 높기 때문이다. 권력의지는 좋으나, 그것이 국민을 외면한 사리추구라면 차라리 대권과 거리를 두는 게 역사적 정당성을 쥐는 것이라 판단한다. 그러나 부인할 수 없는 현실은, '무엇으로'는 없고, '어떻게'만 있는 야당의 집권 전략만 대두되고 있다는 점이다. '이명박이 패배하는 승리'가 아닌 '깨어있는 국민의 승리'로 재구획되지 않는다면, 다시 말해 '야당만 이기는 승리'가 된다면 역설적으로 궤멸돼 가는 낡은 세력의 부활을 부를 것이다.

그래도 하늘이 무너지는 일조차 감수할 만치 2012년 대권을 거머쥐어야 하는가. 김규항의 이 말을 전함으로 갈음한다. 과도한 권력 만능주의에 대해 지극한 성찰이 있기를 기대한다. "중요한 건 A

가 집권하는가 B가 집권하는가가 아니다. 중요한 건 우리의 삶을 반영하는 정치가 분명히 존재하는 것, 그리고 성장하는 것이다. 집권은 그 자연스러운 산물일 뿐이다. 우리의 정치가 존재하고 성장한다면 집권 전이라 해도, 박근혜가 아니라 그 아비 박정희가 돌아온다 해도 우리 삶을 지켜낼 수 있다.”

_김규항 '우리의 집권', 〈한겨레〉 2011년 6월 21일자

III. 조국은 누구인가

IV. 조국과 정치가 만나면

V. 정치 고수에게 조국을 물었다

맺는 글 _바른 정치를 위해

I

2012
그리고 2017 대전망

왜

2017년 대선인가

전 자유민주연합 총재 김종필이 남긴 유명한 말이 있다.

"우리나라 대선은 딱 두 달이면 된다."

사실 1997년과 2002년의 '대세론'을 앞세워 당 안팎에서 위세를 떨치던 한나라당 대선 후보 이회창이 선거를 채 한 달도 남기지 않은 시점에 한 번은 외환위기로, 또 한 번은 노무현-정몽준 후보 단일화로 연거푸 허망하게 무너지는 상황을 보면 거짓말은 아닌 듯하다. 이렇듯 두 달 앞의 일도 잘 모르면서 6~7년 뒤의 일을 예단한다는 것은 무리가 아닐 수 없다.

이 책은 2012년과 2017년, 그리고 그 이후의 권력구조에 대한 예측과 전망을 담은 책이다. 이는 2012년에 창출할 권력은 '영광'보다는 '독배'에 가까운 치명적인 함정이 있다는 뜻이고, 2017년의 권력이 비로소 그 함정에서 헤어 나온 대한민국의 상흔을 어루만지며 새로운 토대와 질서를 마련해야 할 과제가 있다는 판단이다.

'독배'라고 했다. 그렇다. 지난 4년간 역대 유례없는 파행적 국정 운영을 해온 이명박 정부에게 준엄한 심판을 내려야 한다는 입장에 동의하는 바지만, 2012년 대선에서 야권이 필승해야 한다는 주장에는 견해를 달리 한다. 2012년 이후 권력은 곳곳이 지뢰밭이다. 이는 이명박 정부가 빚어낸 파행 때문이다.

먼저, 천문학적 국가 채무를 생각해보라. 이명박 정부 들어 국가 채무는 한 해 평균 25조원씩 급증하고 있다. 공기업 부채까지 포함하면 국가 부채가 1,637조원에 이른다는 분석도 나온다. 야당의 '아니면 말고' 식 분석이 아니다. 한나라당의 '경제통' 의원인 이한구가 2010년 10월에 내놓은 분석이다. 진보진영의 경원대 교수 홍종학(경제학)도 2011년 1월 31일 〈한겨레〉와의 인터뷰에서 같은 관점을 표방했다.

"진보진영이 정권을 다시 잡으면 반드시 경제위기가 올 가능성이 높다. 경제위기가 진보진영이 정권을 잡게 될 계기이면서 위기 요인이 된다는 게 아이러니다. 한국뿐 아니라 미국도 그렇다. 미국 민주당이 8년간 열심히 진보정책을 준비해 막상 정권을 잡고 나니 경제위기를 해소하느라 정신을 못 차리고 있다. 강조하고 싶은 것은 진보진영은 반드시 준비를 하고 있어야 한다는 거다."

금융, 전세, 가계, 물가, 주식, 대중 등 경제의 축들도 불안하다. 부동산경기 거품이 꺼지면서 대출금 미상환이라는 부메랑으로 돌아온 저축은행 도산, 서민용 임대주택 건설에 태만하다가 닥친 전세대란, '아쉬우면 집 사라'며 대출 제한을 완화해 자초한 가계(부채)대란, 뿐만 아니라 시장의 엄청난 유동성을 성장률 상승세 유지를 위해 방치했다가 맞은 물가대란, 외국자본의 먹잇감을 자처하다가 맞은 주식대란…. 그야말로 한국경제를 위협하는 가공할 만한 악재들이다.

게다가 순식간에 몰아닥친 미국의 더블딥 우려에 아시아 국가 중 한국이 최악의 주가 폭락 등 극심한 파고를 만난 점도 주목해야 한다. 31%를 외국인 주주에게 허용한 한국 증시, 외국 자본의 무차별 침투 및 이탈을 허용한 느슨한 규제, 덧붙여 극심한 수출 의존의 경제구조 등을 통해 알 수 있듯 과도한 대외 의존도는 독이 되고 있다. 언제든 한국이 세계 투기자본의 밥이 될 수 있음을 보여주는 대목이다.

두 번째, 4대강도 심각하다. 온갖 저항과 반대를 딛고 끝내 정권 말에 '준공'했다고 치자. 2,300억원이라는 막대한 규모의 운영비가 국고로부터 빠져나간다. 이는 정부가 추산한 것이다. 그러나 더할 것이 있다. 4대강 사업비 8조원을 정부 대신 집행한 수자원공사에게 주게 될 4,000억원의 이자다. 이것까지 더하면 총 7,000억원에 이르는 돈이 지출될 것이라고 한다. 이는 민주노동당 강기갑 의원이 2010년 11월에 내놓은 분석이다. 운하반대교수모임은 이보다 더한 1조 원(관리비 5,794억 원, 수자원공사 이자 보전 4,000억원)으로 내다봤다. 1회분이 아니라 '매년' 그렇게 써야 한다는 것이다.

장마철에 비 맞으며, 한 겨울에 강 깨며 광기의 속도전을 거듭한 4대상 공사. 산업재해로 인한 사망률이 일반 건설현장에 견주어 10배 이상 높다. 그나마 공정이 완료된 뒤에 뒤탈이 없다면 신의 가호 그 자체일 것이다. 처참하게 붕괴된 연천댐을 떠올려보자. 그 공사를 CEO 이명박이 이끌던 현대건설이 맡았다. (그때에도 무리한 속도전이 화근이었다는 평이 있다.) 전문가가 심각하게 우려한 홍수, 생태계 교란, 문화재 훼손 등의 문제는 아예 뒷전으로 밀려난 지 오래다. 수질관리 명목으로 시작되었던 4대강 공사의 본래 취지는 온 데 간 데 없다. 현 정부 경제 실력자로 알려진, 강만수는 대통령 경제특보 겸 국가경쟁력강화위원장이던 2011년 2월 16일 "4대강 사업은 치수사업으로만 생각하기보다는 호텔·레저 등 엄청난 파생산업을 발생시키는 거대한 사업이라고 봐야 한다"고 말했다. 사실 이는 수변구역을 마구 파헤칠 계획을 세울 때부터 예상했던 문제이다. 이것이 장래의 수질오염 식수난을 부르는 요인이 될 가능성이 있음을 우려하지 않을 수 없다.

준공 수개월 전인 2011년 여름, 큰 비가 내린 4대강에 상류(지천)에서 흘러 내려온 흙과 모래가 쌓여 준설 원점 상태로 돌아가 버렸다. 4대강 사업에 대해 비판적인 학자들 견해대로 '착공은 있으나 준공이 없는' 공사가 돼 버리는 것은 아닐까 의심하게 된다. 그래서 '목표 수심(6m) 유지가 근원적으로 어려운 만큼 준설을 상시화함으로써 건설사의 지속적인 배불리기를 하려는 것 아니냐'는 비판이 가능해진다. 실제 얕은 '꼼수'가 있었다면 심판의 날은 반드시 당도할 것이다. 권력은 유한하기 때문이다.

세 번째, 구제역으로 인한 환경재앙은 또 어떤가. 야당이나 환경 관련 시민단체가 아닌 이명박 정부의 환경부장관 이만의는 언론과의 인터뷰에서 "앞으로 몇 년이 흘러야 매몰지가 안정화(악취·침출수가 더 이상 발생하지 않는 상태) 될지조차 알 수 없는 게 문제다"라고 했다.

대만에서 돼지를 키우는 한 농민이 1997년 구제역 사태 때 우리처럼 생매장했던 돼지들이 수년간 썩지 않아 최악의 환경재앙을 겪었음을 증언했다. "엄청 죽었어요. 몇 년이 지나도 묻은 돼지들이 썩지 않아 엉망진창이었어요." 2월 7일 밤 〈KBS〉와의 인터뷰에서 한 증언이다. 그리고 서울과학기술대학교 환경공학과 배재근 교수는 2월 8일 〈평화방송〉 라디오 '열린세상 오늘 이석우입니다'와의 인터뷰에서 전국 4,000여 곳에 달하는 매립지의 안전성과 관련해 이런 해설을 내놓기도 했다.

"상식선에서, 우리 가정에서 나오는 쓰레기를 매립할 매립지를 선정할 때에도 굉장히 심도 있는 검토를 거치게 된다. 예를 들면, 그 주변지역에 상수원이라든가, 경작지라든가 주민에 대한 피해 정도, 지반의 침해 가능성, 지하수의 흐름 등을 마땅히 파악해야 한다. 그러나 너무나 많은 작업이 이루어지다 보니까, 또 매몰지를 구할 수가 없는 상태이다 보니까 이런 것을 고려할 수 없는 상태였고, 또 하나가 매립 작업을 하는 사람들에게 매뉴얼이 배포되어 있지만 그 매뉴얼을 이해하는 전문가도 없는 상태였기 때문에 전문적 매몰 작업이 이루어지지 못했다. 상식선에서 이야기를 하면 가축류 몸체 80퍼센트가 물이다. 유기물이 분해되면 거의 물로 나오게 되고, 심각한 것은 적정한 온도가 유지되면 분해가 굉장히 빠르게 진행이 된다. 그래서 악취가 나게 되고, 그렇게 되면 이게 지금은 지하수 오염쪽에만 타깃이 되어 있지만 굉장히 광범위하게 오염현상이 일어날 수 있다."

전염병을 예견한 것이다. 문제는 인수공통, 즉 사람에게서 짐승으로, 짐승에게서 사람으로 옮겨가는 역병이다. 땅 아래 묻힌 400만 이상의 구제역 또는 구제역 의심 가축의 사체가 전혀 새로운 바이러스로 변이될 가능성이다. 치료약이 전무한 상황에서 인간의 생명은 고스란히 이 병마에 노출될 수 있다. 우희종 서울대 교수(수의학)의 인터뷰 내용이다.

서해성(소설가): 영하 18도 추위 속에 벌어진 일이라 그나마 다행이랄까. 2009년 몽골에도 겨울에 재앙이 밀어닥쳤죠. '차강조드(혹한기에 일어난 '하얀 재앙')' 이듬해 봄, 5살 미만 어린이들 사망률이 늘었어요. 동물이 떼죽음하면서 유목민은 도시로 흘러들고. 그나마 살아남은 동물로 병이 이행하는 악순환이 일어났습니다.

한홍구(역사학자): 몽골이야 땅덩어리가 넓고 인구밀도가 낮잖아요. 우리 땅속에선 무슨 일이 벌어지고 있는 건가요?

우희종: 아무도 말을 안 하고 있지만 따뜻해진 이후 심각한 상황이 올지도 모르죠. 매몰 지역을 모니터링 하는 철저한 사후관리가 이뤄져야 합니다. 정부는 관심이나 있는지. 이렇게 좁은 땅덩어리나 높은 인구밀도 건에서 검토된 연구는 외국에도 전혀 없습니다.

서해성: 한국인이 모두 캐리어(전파자)가 되는 셈이죠. 몽골 양상으로 봤을 때 내년을 장담할 수 없어요. 미처 알지 못하는 새로운 형태로 RNA가 끝없이 변화를 일으킬 텐데.

우희종: RNA처럼 돌연변이를 잘 일으키는 놈이 없습니다. 구제역을 이런 식으로 대처하다간 바이러스가 인체에 적응할 조건을 형성시켜줄 수 있어요. 자칫 세계적 재앙의 근원이 될 수도 있다는 겁니다.

_〈한겨레〉 2011. 1. 21 33면 '한홍구-서해성의 직설'

만난萬難을 극복하고 진보집권시대를 열었다고 치자. 구멍 난 재정 메우고, 부실공사 성과물을 원점으로 돌리고, 거침없는 역병의 뒤꽁무니 붙잡으면 5년은 순식간이다. 이러면 무상복지고 뭐고 없고, 지난 정권의 무능과 오판, 아집 뒤치다꺼리하다가 정권이 끝날 수 있다. 외환위기 등 자기들 실정으로 인해 불거진 민생 참화慘禍이건만, '경제를 파탄냈다'는 모략으로 정권을 재탈환한 한나라당이 2012년부터 5년 간 야당하면서 조신하게 반성 및 참회의 길을 걸을 리 만무하다. (2011년 8월 전세계를 강타한 주식폭락 사태의 근원인 미국 더블딥 우려도 글로벌 금융위기 당시 공화당 부시 행정부의 무차별적 재정 투여에서 비롯된 것이다. 이 때문에 야당이 됐고, 따라서 이 문제에 관한 한 각성하고 근신해야 마땅할 공화당은 마치 여당 민주당이 가해자인양 공격하고 있다. 먼 나라 이야기가 아니다.) 김대중, 노무현 정부 때의 공식 그대로 더한 선동과 음해로 재집권을 노릴 것이다.

그런 의미에서 나는 2017년을 주목한다. '저주받은 권력' 2012년 정권을 진보가 꼭 차지해야 할지 의문이란 이야기이다. 물론 권력의지를 접으라는 뜻은 아니다. 내실 있게 18대 대권을 경영하지 않으면 '진보는 집권역량이 부재한 뜨내기다'는 모략을 정당화하는 우를 범할 수 있다는 이야기이다.

이런 도발적 계산은 어떤가. 수구 기득권 기반의 정치세력이 한 번 더 집권하면서 보수의 본색이 남김없이 드러나게 될 수 있다는. 그리고 진보에 대한 열망이 한층 고조될 때 보다 준비된 권력으로서 국민의 요구에 수긍한다는 점을 말이다.

솔직히 지금은 무르익지 않은 듯하다. 우선 갈급함이 부족하다. 무능하고 부패한 이명박을 청와대 저 자리에 앉힌 원동력, '부자 되게 해준다'는 욕망의 잔재에 대한 우리 사회의 통렬한 성찰이 뒤따르지 않았다. 또한 자본을 숭배한다. 탈세, 횡령, 부당세습 의혹 등으로 물의를 빚는 이건희가 '존경받는 기업인' 1, 2위에 랭크되는 나라이다. 더불어 '무한 경쟁'의 원리가 문제의식 없이 내면화됐다. "외모도 경쟁력이잖아요"라는 천연덕스러운 말이 상식으로 굳어지는 세상이다. 여기에 더해 인권과 양심, 자유의 가치를 제대로 정립하지 않았다. 강력범죄만 터지면 사형집행 찬성률이 십중팔구가 된다. 그리고 지역주의에 경도됐다. 지역주의 타파를 외치다 산화한 노무현의 지역구에서조차 후예들이 고인의 이름을 앞세워 소지역 정서를 자극하고 있다. 반칙을 권하고 응하는 사회구조에 대해 문제의식을 갖지 않고 있다는 점은 또 어떤가. 인사청문회에서 발견된 결격사유는 애교로 넘긴다. 냉전주의가 틈만 나면 발호하는 현실도 이른 진보정권 출현의 중대 장애물이다. (많이 나아졌다고는 하지만) 북한 변수만 발생하면 모든 합리적, 이성적 토론이 실종되고 극단의 군사보복 논리가 발호한다. 진보가 안착하기에 난기류인데다 뿌리내리기엔 지세가 척박하다.

물론 야권대연합 이야기가 나온다. 토대 마련은 긴요하다. 따라서 '국민의 명령' 등의 시도를 부정, 폄하해서는 안 된다. 그러나 '이명박 반대'라는 단발적 공감대만으로 집권의 기반을 이룰 수 있을까. 현재 상황이 그렇다는 이야기다. 게다가 기득권 분할이라는 방정식은 현 야권의 정치적 구심체의 부재, 정당 간 체급의 극단화, 연합정부의 실패 경험 등 기대를 난망케 하는 요소가 다양하다. 정책별 연합전선을 펴는 것으로 상호 신뢰를 구축하는 과정이 필요하다. 좀 더 긴 호흡의 구상과 설계, 짜맞춤이 필요하다.

'민주화는 한판승부가 아닙니다.' 최초의 국민주 신문인 〈한겨레〉가 1987년 대선 이후 창간하며 내건 이 캐치프레이즈는 진보집권 시대를 꿈꾸는 이들에게 여전히 큰 울림으로 다가서야 한다.

그리고 구현하는 것이다. 공정사회 건설, 소통사회 지향, 복지사회 구현. 우리라고 왜 스웨덴 같은 복지를 못 누리겠는가. 사실 19세기 중반만 해도 유럽에서 가장 가난했던 스웨덴이 불과 한 세기만에 세계 최고 수준의 복지국가를 이뤘다. 좋은 타산지석他山之石감이다. 신필균이 쓴 『복지국가 스웨덴』의 일부이다.

'19세기 중반 이후 1913년 기초연금제도가 도입되기까지의 스웨덴은 100만이 미국으로 이민을 떠나야 했던 유럽의 빈국이었다. 한국의 1960년대를 떠올리게 하는 어려운 상황에서 가진 자들의 횡포에 저항한 거센 노동운동을 배경으로 가장 먼저 그리고 전면적으로 도입되기 시작한 보편 복지가 오늘날 스웨덴 성공의 토대가 됐다.'

　　　　　　　　　　　•

　물론 이를 위해서는 '강부자(강자+부자)'의 철저한 자기반성과 과단성 있는 양보가 전제됐을 것이다. 생각해보라. 수입의 55퍼센트(북유럽 기준 소득 대비 세금징수율)를 세금으로 내야 하는 구조, 이게 정권 하나 바뀌었다고 달성될 사안인가. 수 십 년이라는 기간 동안 지난至難했을 토론과 설득 과정이 전제됐을 것이다. 물론 그 목표점으로 향하는 과정에서의 동력은 노동운동으로 촉발된 사회적 전민중적 압박이었을 것이고.

　일제강점기에는 친일로, 미군정 이후부터는 친미로, 또 친독재로 역동적인 표변을 서슴지 않은 우리 사회 기득권세력이 맹성猛省하려면 스웨덴보다 더한 충격이 필요하다. 그러려면 우선 사리사욕에 함몰된 썩어빠진 우리 사회 보수 기득권층의 실체와 본질을 다수 국민은 뼛속 깊이 살펴야 한다. 그러려면 '이명박 5년'만으로는 부족하다는 것이 내 생각이다.

　2012년 한나라당의 재집권보다 더 우려되는 것은 준비 안 된 진보세력이 정권을 얻었다가 2017년 또 다시 수구기득권세력에게 정권을 내주는 우愚를 범하는 것이다. 싹을 틔우기도 전에 또다시 진보의 가치가 짓밟히는 상황, 이럴 바에야 차라리 집권 안 하는 게 낫다는 판단이다.

(서두부터 너무 절망적인가. 그렇다면 체계 없는 권력욕을 비우라는 뜻으로 소화하기를 바란다. 물론 2012년 진보 야당이 총선, 대선에서 연전연승할 수 있다. 물론 그것은 자력에 의한 것이 아닐 것이다. 이명박 정권의 침몰이 박근혜에게까지 미치는 한나라당 정부의 궤멸적 상황이리라. 그만큼 야당에게는 자력에 의한 대권 성취의 요소가 미약하다는 것이다. 어쨌든 '독배'는 할 수 있으면 피하는 게 지혜롭다.)

단언한다. 2012년 대선에서 민주진보개혁진영이 승리한다면 비민주당 그룹은 민주당이 중심된 여야 양당 대결구도에 종속될 것이다. 그러나 내 예상대로 2012년 한나라당이 현 '박근혜 대세론'의 기조를 이어가 대선에서 이긴 다음, 이명박 시대의 '채무뿐인 유산'을 감당하지 못해 쇠락한다면, 2017년 대선은 비민주당 그룹이 민주당과 대등한 지분을 놓고 선의의 경쟁을 벌여 결국 집권할 것이다.

독재 날치기 정치보복은 박물관으로 가 버리고 성추행, 부동산 투기, 병역면제, 이중국적, 위장전입, 논문표절 등 추문을 안고서는 여의도 입성이 불가능한 구조가 하나의 상식체계가 되는 정치로의 혁신, 2012년에 성사될 가능성은 낮아 보인다. 누가 이기건 간에 말이다.

2017년에서
2012년을 바라본다

2012년은 왜 안 되는지, 또 피해야하는지를 세세히 짚어보겠다. 그리고 2017년까지의 정치적 노정에 대해 보다 구체적으로 살피겠다.

[1] 2012년 예상 시나리오

2012년 대선에 앞서 그해 4월에 있게 될 총선부터 살펴야 한다. 예측이 어렵지 않다. 이명박이라는 변수만 놓고 보면 총선은 물론 그의 퇴임일까지의 모든 정치 일정은 손바닥 보듯 쉽다.

우선 염두에 둬야 할 것이 있다. 이명박은 변하지 않는다. 어떤 식으로든 목표하는 바를 성취하고야 만다. 물론 좋은 말로는 설득, 기술적 용어로는 거래의 능력이 부족하다보니 대체로 완력을 동원한다. 사실 이런 리더십은 정권 초에는 통한다. 그러나 권력의 힘이 빠지는 정권 말까지 갈 가능성은 제로에 가깝다. 레임덕 때문이다.

임기 말 현상으로도 해석되는 이 열쳇말에 대해 내일신문 정세용 논설주간은 "5년 단임 대통령제 아래서 집권 1, 2년차는 제왕적 대통령으로 막강한 권력을 휘두르지만, 집권 4년차는 시기적으로 대통령 임기를 1년여 남겨둔 시점으로 다음 대통령선거를 앞두고 권력의 중심축은 미래권력 쪽으로 이동한다. 여권의 중심은 차츰 청와대에서 집권당으로 기울기 마련이다. 정권재창출이라는 대명제 앞에서 청와대의 무소불위한 권력은 위축될 수밖에 없고 청와대를 향한 집권당의 반란은 불가피하다는 것이 정가의 분석이다"라고 진단한다.

2010년 8월을 기점으로 집권 후반기에 접어든 이명박. 그러나 레임덕에 관한 한 노여움을 잔뜩 담아 체질적 거부감을 표시한다. "임기 끝 날까지 레임덕은 없다"고. 이는 권력누수현상에 따른 두려움의 다른 표현이다. 사실 이 문제는 이명박에게 있어서 매우 심각한 문제이다. 그간 정권유지 차원에서 검찰과 경찰, 감사원, 국세청, 국가정보원 등 주요 공안권력에 대한 의존도가 역대 정부에 비해 상당했기 때문이다. '피할 수 없다면 즐기라'는 말이 있지만, 비정상 정치의 업보가 있는 이명박에게는 피하는 게 유일책이다.

레임덕의 징조는 자신의 수족이 돼야 할 여당과 공무원에 대한 장악력이 떨어질 때이다. 이러면 반대파의 입지는 커지게 되고, 대통령이 할 수 있는 일이 거의 없게 된다. 이를 막기 위해 이명박은 이미 장악한 미디어를 통해 과장을 넘어 허위에 가까운 자화자찬성 홍보를 서슴지 않는다. 고리대출 및 파병이라는 파격적인 선물로 얻어낸 결과인 아랍에미리트연합(UAE) 원자력발전소 수주, '450조원 경제효과'라는 터무니없는 과장으로 덧씌워진 주요 20개국 정상회의(G20) 개최, 자국민 인명피해 사실을 은폐하며 떠벌린 삼호주얼리호 해적 진압이 대표적이다. 왜 이러겠나. 높은 지지율을 유지하기 위해서이다.

홍보는 차라리 낫다. 내부 단속은 거의 폭압적이다. 2011년초. 결국 좌절됐으나 독립성 훼손 논란을 무릅쓰고 자신의 심복(민정수석을 지냈던 검사 출신 정동기)을 감사원장에 앉히려 했던 것은 공직사회에 대한 끊임없는 감찰로 기강을 잡기 위함이었다.(채찍만으로는 안 된다고 판단했던지 공무원 봉급 5퍼센트 인상이라는 당근책도 제시했다.) 검찰총장 김준규가 추천한 인사를 무력화하면서 인사권을 무시한 것도 검찰에 대한 목줄을 놓지 않겠다는 뜻이고, 청와대 관계자도 이를 부인하지 않았다. 화룡점정은 한나라당의 정치 친위대화 작업이다.

감사원장 후보자 정동기에 대한 자진 사퇴를 촉구함으로써 '레임덕 무력화'에 광적 집착을 피하지 않는 이명박에게 물을 먹인 한나라당 당시 대표 안상수. 그를 '거사' 13일 뒤인 1월 23일 만찬 자리에서 만난 이명박은 막걸리를 따르며 "당신, 이제 거물 됐던데"라는 식으로 비꼬아 이야기하더니 정동기 낙마 문제에 대한 불만을 한참 표시한 다음 과학비즈니스벨트, 개헌, 남북관계에 대한 자신의 생각만 말하고는 "할 말은 다 했으니 가겠다. 피곤하다"면서 (만찬이 끝나기도 전에) 먼저 일어섰다고 한다. 이걸로도 아쉬움이 컸던지 이명박은 측근 정치인을 통해 '총선 물갈이설'을 흘렸다. '까불면 다음은 없다'는 모종의 경고이다.

2011년 8월. 영부인과 '누나' '동생'으로 호칭한다는 인물이 법무부장관으로, 형과 장인이 이명박 일가와 가까운 것으로 알려진 인사를 검찰총장으로 임명했다. 정권말 임명 배경을 짐작하기란 어렵지 않다.

한나라당으로서는 셈법이 복잡해졌다. 자신의 총선 대비는 물론 차기 대통령선거에서의 역할을 따져보면 어떻게든 이명박과의 차별화가 불가피한데, 현실 권력인 청와대의 레임덕 방지 노력에 맞대응하기가 쉽지 않은 형국이다.

이명박은 다가올 2012년 총선을 본인 주도 하에 치를 것이 분명하다. 한나라당 내 공천권 행사는 물론 의제설정까지. 왜냐. 이는 퇴임 이후 자신의 안전 문제와도 직결되기 때문이다. 지금은 접어버린 수가 됐지만, 이명박이 친박과 야당이 반대하는 개헌을 기필코 하려는 이유도 같은 맥락이었다. 이명박과 그 측근이 주장했던 개헌안은 내각제 또는 이원집정부제 같은 대통령 권한 축소 방안이다. 지금의 대통령제가 한국 정치에서 모든 병폐의 근원이라는 문제의식도 감추지 않고 있다. 사실 그렇다. 아무리 국민이 뽑는다고는 하지만 1인에게 권력이 집중되는 현실은 부정부패와 정치보복을 양산하게 만든다.

전임자에 대한 정치보복을 행한 권력자가 퇴임 후에 안전하기란 어렵다. 권력자에게 정치보복은 꽃놀이패다. 개혁이라는 명분을 앞세워 지지세력을 규합하고 정국 주도권을 행사할 수 있기에 그렇다. 2008년 봄부터 이어진 연인원 93만2,000여 명(검찰 추산)이 참가한 미국산 쇠고기 협상 반대 촛불시위의 배후로 노무현을 지목한 이명박은 그에 대한 응징 및 공세적 방어 차원에서 정치자금 수사를 지시했고, 결국 낭떠러지에서 떨어지게 했다. 이 과정에서 국민은 '없는 사실'도 지어내며 압박하는 이명박 체제 하의 검찰의 실체를 목도했다. 이명박으로서는 흡족해할 수만은 없을 부분이다.

그 칼이 자신에게 향할 경우를 고려하지 않을 수 없으니까.

이명박의 '퇴임 이후 불안' 정서는 〈뉴욕타임스〉도 주목한다. 연세대 교수 문정인(정치외교학)의 발언 부분이다.

"정치적인 '피의 복수Vendettas'가 이명박의 임기가 만료되는 2012년까지 끝날 수 있을지 알 수 없다. 노무현의 일부 지지자들은 이명박이 대통령직에서 퇴임하면 후임 대통령에 의해 똑같은 공격을 받게 될 것으로 믿고 있다."(2008. 5. 28자)

이명박은 자신만은 이런 보복의 굴레에서 헤어 나오고자 한다. 그러기 위해서는 법적, 제도적 장치를 마련해야 한다. 그래서 최측근 이재오를 앞세워 개헌 분위기를 고조시켰다. 헌법의 영역은 아니나 선거에서 2등, 3등한 후보도 국회의원을 할 수 있는 중대선거구제로의 개편까지 추진한 바 있다.(야당의 동의 여부가 관건인데, 민주당 등은 '꼼수를 버리지 않는 이상 협상에 응할 수 없다'는 반응을 보이는 바람에 그 이후로 자진 포기해버렸다.) 후임 대통령의 권한을 축소하면서 친이세력의 안정적 국회 포진이라면 충분한 방어막이 될 수 있을 것이라고 판단한 것이다. 그렇다면 19대 총선 때에 한나라당 후보는 친이세력으로의 전진배치가 유력하다.

이런 예측을 뒷받침하는 흐름이 여권 안에 실제 있었던 것으로 나타난다. 〈주간조선〉은 2월 14일자에서 다음과 같이 보도했다. '한나라당 친이 실세들이 개헌을 밀어붙이는 진짜 이유가 '친이 세 결속을 통한 박근혜 무력화'인 것으로 알려져 주목된다. 여권의 한 소식통은 "친이명박계 핵심 실세들은 차기 총선에서 친이명박계 가 최소 50명만 당선돼도 똘똘 뭉치면 못할 것이 없다는 생각을 갖고 있다"며 "최근 개헌몰이를 하는 것도 친이명박계 결속을 유지하면서 내년 총선 공천 싸움을 준비하겠다는 포석"이라고 말했다. 이 인사는 "개헌의총 기간 중 정권 핵심 실세와 친이명박계 중진이 서울 시내 모처에서 만나 나눈 개헌 관련 대화를 들어보니 전 대표 박근혜가 정권을 잡을 경우 분당할 각오까지 하고 있더라"고 전했다.'

이런 와중에 차기 대표주자인 박근혜의 행보가 궁금해진다. 박근혜는 2012년 총선에서 어떤 역할을 할 것인가. 당 대표로서 2004년 총선, 2006년 지방선거를 이끌던 그때의 주도권을 행사할 것인가. 전면 부상에 대한 부담감으로 2008년 총선처럼 자기 지역구 밖을 나오지 않을 것인가.

전자라면 박근혜는 결과에 대한 책임을 져야 하는 부담을 안게 된다. 행여 승리하지 못할 경우에는 대선 주자로서의 행보에도 중대한 차질이 빚어진다. 따라서 선거운동 내내 이명박과의 차별화를 나타내지 않을 수 없다. 이게 주효하다면 이명박은 급격한 하향세를 타게 되면서 꼼짝없는 레임덕 신세가 된다. 이명박이 그걸 용인할 리 없다. '박근혜 한나라당 대선 후보'를 세울 힘은 없어도 흔들힘은 건재하다. 친박진영은 이게 두렵다. 그렇다 하더라도 후자처럼 지역구 안에만 머물자니 처지가 옹색해진다. 경선 과정에서 "당의 명운보다 개인의 이미지 관리에만 치중했다"는 상대편의 공격을 자초할 가능성이 크니까. 그렇다고 발 벗고 나서자니 어차피 자기 편이 아닐 친이 성향의 후보들을 지원하는 것은 헛수고가 분명해진다. 게다가 낙천으로 밀려난 친박 성향의 후보들이 무소속 또는 '친박연대 시즌2' 같은 정치세력으로 규합돼 나온다면 더 골치아파진다.

어차피 박근혜 편이 아닐 친이 성향의 후보들은 그렇다면 그해에 있을 대선에서 누구를 지지할까. 이명박은 대선에서 분명히 자기 사람을 세울 것이 분명하다. 맥없이 대세론을 수용하며 박근혜와 '퇴임 후 안전'을 거래할 위인이 아니다.

물론 2011년 4.27 재보선에서 그동안 아성으로 여겼던 경기 성남 분당을 국회의원, 강원지사 자리를 내놓은 점은 이명박에게 실로 큰 타격이었다. 곧바로 있은 한나라당 원내대표 선거에서 이재오 등 친이 주류가 밀었던 후보가 낙방하는 상황을 만났다. 아울러 7월 새 당대표(홍준표) 선출 과정에서 박근혜의 '간택'이 있었다는 정황도 뚜렷하다. 급격한 정치적 레임덕의 전조다. 더 이상 자신의 브랜드로는 선거 치르기 어렵다는 점은 자타가 공인해 버렸다. 당은 빠르게 박근혜를 정점으로해서 재편되고 있다. 이명박이 모를리 없다. 그럼에도 당권 장악에 대한 이명박의 의지에 쇠함이 없다는 판단은 유효하다. 왜냐. 이명박이 변할 리 없으니까. 당분간은 박근혜와의 협력 모드를 유지하다가 총선 때에 동원 가능한 모든 수단을 통해 본인의 의중이 적극 반영되는 판 짜기, 장수 배치하기를 시도할 것이다. 보라. 이명박은 감사원, 검찰, 국정원 등 주요 사정기관에 대해 빈틈없이 장악하고 있다. 이는 여당으로 하여금 이탈을 주저하게 하는 손오공의 금고주金箍呪가 되고 있다.

그리고 대선, 박근혜에 맞설 대항마를 내세울 것이 분명하다. '그럴 위인이 있는가'하는 문제는 둘째이다. 그건 뒤에서 이야기하겠다.

결론은 2012년 한나라당이 벌일 총선, 대선은 '연출 이명박'이

될 것이라는 점이다. 한나라당에서 정치 좀 안다는 사람들은 머리카락을 쥐어뜯을 것이다. 민심의 뇌관 곳곳을 건드려온 지난 4년 때문이다. 이제는 그 뇌관에 대한 이야기를 해보겠다.

모 방송사 PD에게서 들은 이야기다. "2009년 늦가을이었다. 행사 차 가수, 탤런트, 코미디언 등 중견급 연예인을 대형버스에 태우고 이동했다. 이들은 자리에 앉기가 무섭게 이명박에 대한 욕을 퍼부었다. 개중에는 17대 대선 때에 이명박 지지선언을 했던 이들도 있었다. 방송인 김제동씨가 KBS에서 축출될 무렵의 일이었다."

대다수 연예인이 이 자리 참석자들처럼 '안티 이명박'인지는 알 수 없다. 또한 김제동과 친분이 각별한지도 파악하기 힘들다. 그러나 이들은 권력자의 코드에 부합하지 않는다고 '밥줄'을 끊는 방송사의 처사에 상당히 분개하고 있었다.

'밥줄'하니 '철밥통'을 떠올리게 된다. 그렇다. 아무리 지지고 볶는 사이라도 생계의 수단을 차단하는 행위에서는 강력한 연대의식 동질감을 형성하게 된다. 연예인만인가. 전교조 소속이라는 이유로, 일제고사 거부 또는 5,000~1만원정도의 정당후원금 납입을 이유로 거리로 내몰리는 것을 지켜본 보수성향의 교총 가입자를 포함한 동료 교사들은, 수단과 방법을 가리지 않고 정부가 공무원노조를 짓밟고 수뇌부를 쫓아버리는 장면을 곁에서 본 동료 공무원들은 그저 자신이 징계 대상이 아님에 감사하고 안도했을까. 비판 기사를 쓸 때면 자기검열에 위축당하고, 찬양기사를 쓸 때면 이성과 균형감을 상실하는 '종업원'화된 언론인 또한 남 이야기가 아니다. 조금 개겼다는 이유로 해직된 양심적 언론인도 전두환 정권 이후 대거 양산됐다. 이들을 조사하고 법정에 세우며 정권에 봉사한 검사들은 다를까. 그렇지 않다.

김어준 〈딴지일보〉 총수가 『삼성을 생각한다』를 쓴 검사 출신 김용철 변호사와 나눈 대화를 읽어보자.

총(김어준 〈딴지일보〉 총수): 이러면 어떻게 할까요. 검찰이. 만약 정권이 바뀌었어요.

김(김용철 변호사): 예. 같은 당 내에서, 아니면 다른 당으로?

총: 다른 당으로.

김: 오~ 그거는 비참한 일이 벌어지겠죠.(웃음)

총: 근데 이명박 대통령이, 예를 들어서 뭐 4대강 비리나.

김: 아니 아니, 롯데로. 제2롯데로.

총: 뭐, 제2롯데 비리나.

김: 내 머리로는 이해가 안 돼요. 아무리 군대를 안 갔다 왔다고 해도 그렇지. 국가 안보를 중요시 한다면서 전투기 조종사들 목숨을 담보로 비행장 하나를 날려서 건물을 세워줘. 아무리 친구가 사장이라도 그렇지. 그거는 잃어버렸다는 10년에서도 안 해주던 일이예요. 그게.

총: 그렇죠.

김: 내 머리로는 이해가 안 돼요.

총: 그런데 정권이 바뀌었어요. 지금은 찍소리도 못하고 있는데. 지금은.

김: 찍소리를 혼자하고 있죠.(대형폭소)

총: 으하하하하하. 이명박 대통령이 정권이 바뀌어 낭인이 되었어요, 근데 뭐가 걸렸어.

김: 걸리게 되어 있어요.

총: 으하하하. 그럼 그때 검찰은 이명박을 잔인하게 다룰까요?

김: 잔인하게가 아니라 밟아서 비벼 불어 버리겠죠.

총: 으흐하하하하. 검찰 자존심 상 네가 우리를 그렇게 쪽팔리게 만들었잖아. 뭐, 그런.

김: 해준 거 뭐 있다고 그렇게 개처럼 만들었냐, 뭐 이런 게 작용 하겠죠

총: 그런 심정이 있을 거다.

_〈딴지일보〉(ddanzi.com) 2010. 5. 14

이명박이 밟은 지뢰는 또 있다. 바로 지역 정서이다. 2011년 연초 전국은 소용돌이였다. 충청, 호남, 영남 어느 곳 하나 온전하지 않았다. 우선 여권의 아성인 영남부터 짚어보자. 최대 골칫거리로 부상한 주체는 동남권 신공항이다. 인천공항급의 국제공항 건설을 기대했던 이들 지역은 신공항을 유치할 경우 예상 사업비만 7조~10조원에 달하는 데다 승객과 화물 유치에 따른 생산유발 효과가 12조~17조원에 이를 것이라며 유치에 사활을 걸었다.

밀양 유치를 주장하는 대구 · 경북 · 경남 · 울산, 가덕도를 내세운 부산이 정면충돌하면서 영남권 내 세 대결이 극단으로 치달았다. 대통령 형 이상득은 밀양을 밀었다. 박근혜의 아성도 대구 경북이다. 그렇다고 그곳으로 낙착하면 부산이 난리가 난다. 부산 민심 40퍼센트는 2010년 6.2지방선거에서 민주당을 지지해 한나라당의 간담을 서늘하게 했다. 결국 어느 쪽이 선정되든 탈락한 쪽 반발이 클 수밖에 없고, 이는 2012년 총선 · 대선에서 엄청난 타격을 입힐 수 있다. 정부가 3월로 예정됐던 입지결정 발표를 연기하다 결국 건설 자체를 백지화한 것도 이 때문이다.

영남의 민심은 동남권 신공항에만 민감한 게 아니었다. LH^{한국토}

지주택공사 이전에 관해서도 이목이 집중됐다. 이 문제는 호남과도 결부돼 있다. 본사를 유치하는 지역은 연간 300억원대의 지방세 수입이 증가한다. 또 1,500여 명의 본사 직원 유입으로 지역경제 활성화를 가져올 수 있다. 원래 LH는 대한주택공사와 한국토지개발공사로 양분된 회사가 합쳐진 것이다. 참여정부 당시 지역균형발전 정책의 일환으로 주공은 경남 진주, 토공은 전북 전주로 가게 돼 있었다. 이게 갈등의 뿌리다. 이 통합을 강행해 분란을 자초한 이, 누구일까? 이명박이다. (결국 경남 진주로 가게 됐다. 그러나 진주로 가기로 한 국민연금관리공단의 종착점은 먼길 돌아 전북 전주에 낙착됐다. 고관대작들의 땅따먹기에 지역민들은 구토한다. 멀미 때문인지 불쾌감 때문인지는 알 수 없다.)

호남은 또 충청과 갈등을 빚었다. 뿌리는 정부 예산만 3조5,000억원이 투입되는 국제과학비즈니스벨트 공약 때문이다. 취지는 이렇다. 9개부, 2개처, 2개청이 이전하는 행정중심복합도시안만 시행하면 공무원도 이사 오지 않는다. 근본적으로 자족기능을 보완하는 이명박표 세종시안이 필요하다. 그것이 바로 과학벨트 설치이다. 이것이다. 이 공약, 누가했을까? 이명박이다. 그런데 충청권으로 결정된 것으로 알려진 과학벨트 결정 가능성을 다른 지역에도 부여했고, 호남, 특히 광주가 달려들었다. 논란이 불거질 당시 여당 대표인 안상수도 "과천(자신의 지역구)으로 와야 한다"며 목소리를 높였다. 대통령 형 이상득도 "우리 지역(대구 경북)도 올 수 있으면 와야 한다"며 힘을 실었다. 충청권의 분노는 이만저만이 아니었다. 이명박은 일전에 행정부처 이전이라는 '원안'을 이행하지 않으려 하다가 호된 지역 민심의 역풍을 받고 2010년 지방선거에서 참패했다. 그런데 또 지뢰를 밟은 셈이다.

이 모든 문제에 대처하는 이명박 정부의 태도는 무책임하다. 국론이 분열될 때에는 공정한 방법으로 수습하는 게 옳다. 이명박은 임기 초 대불공단 전봇대 제거를 지시하고, '깐 마늘' 가격까지 관리하는 등 말단 공무원인 주사나 하는 간섭을 했다. '디테일Detail에 강한 지도자'라며 자화자찬한 것이 기억 속에 선연하다. 그런데 정작 청와대가 나서야 할 중요한 국가적 현안에서는 책임을 정부 부처에 떠넘기고 뒤로 쏙 빠져버려 지역간 분열을 자초했다. 그로 인한 후폭풍은 이명박에게 직격탄이 될 것이다. 선정되지 않은 곳은 물론이고 선정된 쪽조차 그간의 투쟁 피로로 인해 여당 심판론에 힘을 실을 것이다.

또 하나, 누르고 눌렀던 언로다. 어느 순간 압박한 만큼 용수철처럼 튕겨져 나갈 것이라는 생각을 지울 길이 없다. 어느 정치인이 욕 듣고 싶겠나. 대통령이 되면 잘하든 못하든 논란의 중심이 된다. 듣기 싫다고 비판하는 이를 뒤쫓고 겁박하면 어떻게 될까. 이를 테면 직장이 어딘지 파악하고 그만두게 한다든지, 밥줄을 끊는다든지, 그것으로도 모자라 경찰서, 검찰청, 법원을 드나들게 하며 힘 빠지게 한다면 어떨까? 실례도 있다. 촛불시위에 유모차를 끌고 나온 가녀린 아기엄마부터, 인터넷 게시판에 정권에 부담이 되는 경제 예측을 한 청년들이다. 평범한 이들의 표현의 자유마저 범죄로 규정하는 그 기술로 다스린다면 당장은 조용해질 것이다. 이명박의 여론통제술이 이러하며, 재임 기간 상당 부분 먹혔다. 공권력에 의한 언론 통제 후엔 이런 설교로 '훈계'한다. "예나 지금이나 남 탓만 하는 사람은 절대 성공 못 한다. 늘 비판적이고 남 탓하고 내 일자리 못 구했다 했을 때 자신을 돌아보기보다 '나라(정부)는 뭐하나', '학교는 뭐하나', '우리 부모는 뭐하나' 등 남의 탓만 하려면 끝없이

할 수 있다."(2010. 10. 14, 국민경제대책회의)

일자리 없다며 걸핏하면 들고 일어나는 프랑스 등 유럽의 청년에게도 이 말이 통할까.

그러나 이명박의 이러한 '원칙'과 '소신'도 압박을 가능케 한 권력의 무게가 있을 때 유효하다. 이것이 사라지는 순간, 즉 퇴임 이후 또는 재임 중이라도 정치적 권위가 사라지는 때엔 대대적인 역풍이 예상된다. 여담 좀 덧붙인다. 집권할 때 언론의 자유를 최대한 보장하는 대통령은 퇴임 이후 국민들의 동정과 연민을 산다. 노무현이 죽자 500만에 이르는 추모 인파가 모였다. 이들이 모두 노사모였겠나. 평소 노무현에 실망하고, 등 돌리며, 비난했던 이들도 상당했을 것이다. '개구리'라는 대통령에 대한 모욕적 표현이 시정잡배가 아닌 야당 고위당직자 입에서 나오는 현실, 인격을 가진 인간으로서 참을 수 있었을까. 하지만 그는 인내를 가능케 한 철학이 있었다.

"대통령 욕하는 것은 민주사회에서 주권을 가진 시민의 당연한 권리입니다. 대통령 욕함으로써 주권자가 스트레스를 해소할 수 있다면 전 기쁜 마음으로 들을 수 있습니다."

퇴임 이후 나아가 서거 이후까지 이명박은 노무현처럼 연일 자신의 집 앞에 몰려온 사람에게 환대를 받고 또 죽어서까지 영웅 대접 받을 것인가. 용역을 동원한다면 가능할 것이다.

그렇다면 이명박은 앉아서 망할 것인가. 막판까지 나름 정권 누란을 막는데 있는 역량 없는 역량 총동원할 것이다. 이명박이 꺼낼 수 있는 카드는 크게 세 개 정도로 집약된다.

우선 '북한'이다. 이른바 '북풍'을 야기해 정략적으로 이용한다는 것이다. 그러나 어떤 경우이든 이명박에게 이롭게 돌아갈 여지가 없다. 우선 악재를 활용하는 경우부터 상정하자. 천안함, 연평도 건에 이어 또 다른 도발 상황이 발생한들 '대통령-총리 등 병역 면제' 사실이 부각되면서 '안보 무능' 정권의 낙인이 박히게 돼 심판감이 될 가능성이 높다. 2010년 천안함 사건이 6.2지방선거 국면에 무풍에 그친 측면, 연평도 도발에 대한 미미한 '무력 응징' 여론을 보면 알 수 있다.

최악의 경우 즉 전쟁 가능성을 우려하는 이들이 있다. 뒷감당 여부를 따지지 않고 무작정 북을 공격하는 것이다. 그러나 미국 중국 러시아가 한반도의 분쟁지역화는 결코 바라지 않는 바다. 게다가 이명박의 대북정책은 대남정책이었다. 국내정치 용도였던 것이다. 따라서 이명박이 모 아니면 도식의 도박을 감행할 배짱은 없다고 본다.

되레 남북대화를 주도해 평화 안정 국면을 펼칠 가능성이 있다. 깜짝 남북정상회담 시나리오다. 아니나 다를까 2011년 6월 비밀리에 북한과 접촉한 상황이 협상 당사자(북한)에 의해 만천하에 드러났다. 북한은 "남한이 천안함 연평도 사과를 애걸했다"며 이명박을 노골적으로 조롱했다. 정권 끝날 때까지 남북대화는 끝났다고 보는 게 옳다. 설령 이명박이 이런 남북 해빙 국면을 성사시켰다 하더라도 김정일 체제가 온존한 가운데서는 결코 대화에 응할 수 없다는, 이른바 '애국 자유진영'을 자처하는 고정 지지층의 반발을 피할 수 없다. 애당초 매력적인 카드가 아니었다.

그 다음은 '막 공약'이다. 토건 공약으로 재미를 본 경험을 살려 새로운 건설정책으로 표를 구한다는 구상이다. 그러나 이것 역시 약효를 보장할 수 없다. 세종시 원안, 과학벨트 관련 약속을 수시로 뒤집은 데다 복지 관련 공약이 대부분 헛물켜기에 그친 점 때문이다. 특히 지난 총선 과정에서 두드러진 뉴타운, 재개발, 재건축 공약의 이행률은 매우 미미한 편이며, 설사 성사됐더라도 집 가진 부자의 전유물이 됐고, 전월세입자들에게는 '그림의 떡'이 돼버린 점을 생각하면 같은 아젠다를 내걸기가 여의치 않다. 대학생 반값 등록금 약속에 대해서는 "내 입으로는 그런 말을 안 했다"며 "등록금이 너무 싸면 교육의 질이 떨어진다"고 공식적으로 부정해 20대의 공분을 샀다.

게다가 야당에서 내놓은 무상복지 공약에 대해서 반대 논리만 설파한 터라 세인의 이목을 끌만한 새로운 아젠다를 내놓아야 하는데 여의치 않다.

마지막으로, 가능성은 낮지만 '개헌'이다. 자신의 잔여 임기를 내놓고는 분권형 대통령제에 대한 심판을 받겠다며 개헌 드라이브를 펼치는 것이다. 일종의 승부수를 띄우는 셈이다. 그렇다면 총선과 대선은 한 묶음이 되며, 아울러 대선 정국의 주도권을 이명박이 몽땅 쥐는 상황을 설정하게 된다.

그러나 이럴 경우 박근혜와의 '휴전'은 끝나고 다시 친이 대 친박의 대결구도가 형성될 것이다. 게다가 야당이 기를 쓰고 반대하는 상황이다. 여 대 야나 친이 대 친박이 아닌 청와대와 청와대 밖이라는 전선이 형성될 것이다. 레임덕, 절뚝거리는 정도가 아니라 아예 절단되는 상태가 될 것이다.

결론만 말하자면 '약발이 없어 소용없다'이다. 4.27재보선 이후 한나라당 일부 소장파 의원들은 2012년 총선전략으로 '이명박 지우기'를 택한 듯하다. 그나마 나은 선택이다. '배신자'라고 고깝게 보는 정서, '이미 늦었다'며 혀를 끌끌 차는 정서를 뛰어넘긴 힘들겠지만. 물론 이명박과의 갈등 국면을 피하며 대세론에 안주하는 박근혜라면 그 역시 패배의 종막을 거스를 수 없다. 한마디로 19대 총선은, 한나라당 후보들의 떼 초상이 예견된다.

대선은 그러나….

2012년 총선과 2012년 대선 사이에는 8개월이라는 간극이 있다. 권력에 대한 의지, 목표달성을 위한 전략적 유연성. 한나라당은 여전히 야당에 비해 한 수 위이다. 2012년 총선으로 한나라당은 무너지지 않는다. 역동적인 자기개혁으로 당을 새롭게 정비하고 대선에 대비할 것이다. 기억하는가. 2004년 3월, 노무현 대통령에 대한 탄핵요구안 가결로 한나라당과 구 민주당이 궤멸적 위기를 만났던 그때. 한나라당 전 지도부는 사실상 총사퇴했고, 박근혜라는 구원 투수가 등장한 일을. 박근혜는 천막당사로 옮겨가 선거에 임했고, 다음 달 열린 17대 총선에서 120석 획득이라는 결과를 끌어냈다.

이명박의 개입 대신 박근혜의 구원 등판 요구가 한나라당 내에서 커지는 형국이다. 그래서 2004년 정국을 떠올리는 이들이 많다. 제아무리 이명박이 쥐어틀려 해도 청와대의 구심력은 쇠퇴하고, 여의도발釋 원심력은 커질 것이다. 그 원심력의 시발점은 바로 미래권력이 될 것이고, 현실적으로는 박근혜가 될 확률이 높다. 주도권이 넘어오는 순간, 박근혜는 당에서 이명박으로 인해 지고 있는 부채를 털어버리고 새로운 가치를 앞세우려 할 것이 분명하다. 전력이 있다. 박근혜는 2004년 웃는 낯에 대통령 탄핵 요구에 힘을 보탰지만, 대표 자리에 오르면서는 그런 부담으로부터 완전히 자유로웠다. 물론 그 과정에는 박근혜의 거듭된 참회 행보, 당시 한나라당 지도부의 총사퇴 및 총선 불출마, 아버지 박정희의 후광, (탄핵 반대) 촛불시위에 대한 보수진영의 반작용 등이 동력으로 작용했다. 2012년이라고 다를까.

이명박은 대선 직전까지 후계자를 고민할 것이다. 일반의 예상으로는 서울시장과 경기지사인 오세훈, 김문수를 떠올릴 수 있다. 예측하자면 두 사람은 유고 상황이 발생하지 않는 한 박근혜를 넘기 어렵다. 더욱이 '이명박의 간택'을 받게 된다면 말이다. 이명박의 정치적 유산 아니 부채를 그대로 안아야 한다는 이야기인데, 현실 정치인으로서 그렇게 무모한 행동을 할 리 없다.

그 둘이 광역단체장직 반납 후 대선 도전의 수순을 밟을까. 2011년 중반기 현재 열심히 저울질하고 있다. 서울시장 오세훈은 전면 무상급식 반대 주민투표를 획책하며 그럴 가능성에 근접해 있는 상태다. 그러나 이 두 사람이 여러 어려움을 겪은 끝에 박근혜를 뛰어넘는다 하더라도 당선을 위한 또 하나의 큰 고비를 만나게 된다. 그게 무엇이냐. 그 공석을 메울 재보선이다. 사퇴 시기에 따라 재보선 시점이 다를 수 있다. 그러나 '네 대권 욕심에 혈세(160억 이상 추정) 들여 또 재선거한다' 이런 정서라면 얻을 표도 못 얻는 상황이 된다. 일각에서는 '그럼에도 불구하고 나올 가능성이 있다'는 설명도 있다. 어차피 본선 진출을 못하더라도 '한나라당 내 2등'이라는 입지를 확보하는 것 역시 의미 있기 때문이다. 그러나 2012년부터 최소 2016년 총선 시점까지 실업 상태로 있는 게 쉽지 않다. 자칫 존재감 실종의 위기를 만날 수 있기 때문이다. 어떤 결단 어떤 승부를 띄우던, 2012년 상황에서 오세훈, 김문수 이 둘은 하위 변수로 판단된다.

결국 이명박은 대세론 외에는 활로가 보이지 않을 경우 박근혜와 거래할 가능성이 높다. 개헌이 테이블에 우선돼 오를 것이다. '너는 대통령하되, 총리와 실권을 나눠라. 물론 그 총리는 우리 몫이 되겠고' 이런 제안을 할 터이고. 그러나 박근혜는 무반응으로 일관할 것이 분명하다. 그렇다고 이대로 판이 깨질 것 같지는 않다. 퇴임 후 안전이라는 거래를 성사시킬 가능성이 있다. 박근혜와 비교적 우호적 관계를 형성한 친형 이상득이 그 메신저 역할을 맡을 것이다. BBK 주가조작부터 4대강 이권, 천안함 침몰 배경, 민간인 사찰 배후, 인천공항 매각(또는 매입), 각종 인사비리, 정치공작, 독도발언 관련 의혹까지 털면 털리고, (없는 사실 지어내기까지 하는 검찰의 속성상) 안 털리면 만들어 털어내는 위기를 이명박도 모를 리 없다. 박근혜는 이에 대선가도의 걸림돌이 되지 않을 것을 확약 받고 구두 약속할 수 있다. 권력이 넘어오는 순간, 약속 이행 여부는 온전히 박근혜 의중에 달리겠지만.

야당이 단일대오를 형성해 박근혜에 맞설 유력 주자를 만들어낸다면? 현재로선 가능성이 희박하다. 우선 단일후보 도출이 쉽지 않다. 모두 오차범위 안 대결구도라 의미 없는 우열 관계다보니 각 축이 가열될 것이고, 그 경쟁은 분열을 촉진시킬 것이다. 지방선거(2010년 기준)는 3,991개 자리를 놓고 야권이 난산 끝에 단일화의 가닥을 잡았지만, 파이가 1/13로 줄어드는 299개 자리의 총선(2012년 기준)과, 단 한 명만 뽑는 대선의 경우는 전망이 회색빛이라는 얘기다.

'이명박 반대 정서만으로도 대동단결이 가능하다'는, 시쳇말로 '나이브naive'하다 하겠다. 이명박에 대한 대통령 국정운영 지지도가 매우 높다는 여론조사 결과에 대해 야권은 해석의 차이는 있어도 크게 신뢰하지 않는다. 피부로 와 닿는 이명박 반대 정서가 대단히 강고하다는 점 때문이다. 그러나 역설적으로 야당은 '이명박 반대 정서가 야당 지지로 올 것이라는 막연하기 짝이 없는 기대감의 근거에 대해 설명하라'는 되물음에 직면하게 될 것이다. 이명박 반대 정서가 하나의 주식株式이라면 박근혜는 이에 대주주이며 우선적인 지분이 있다. '박근혜 당선은 곧 정권교체 의미'라는 의견이 50%라는 〈조선일보〉 여론조사(미디어리서치 2011년 6월 8~9일)가 근거다. 지역구도로 보더라도 야권에게 이로울 게 없다. 게다가 박근혜는 영남, 호남, 충청권에서 고른 지지율 분포를 보이고 있는데다 보수의 대동단결이 가시화돼 수도권의 기존 보수 표만 제대로 확보해도 차기 대권에서 유리한 고지를 점한다. 야당은 이런 박근혜의 이니셔티브Initiative를 단순히 '독재자의 딸', '나라 망친 한나라당의 계승자'로만 해체할 것인가. 걱정이다.

그래도 2012년 대선을 꼭 승리해야 한다면 '맞춤형 박근혜 대항마'를 키워야 한다. 손학규, 유시민, 정동영 등은 2007년 주자들이다. 둘은 예선 탈락이고, 본선에 진출한 후보는 그나마도 531만 표차이로 참패했다. 사정이야 어떻건, 이들은 이듬해 총선에서 모두패배했다. 야권의 유력한 주자이긴 하나 그때 이명박과 한나라당에게 승리를 진상한 '제물'이기도 하다. 가혹하다 해도 할 수 없다. 이는 이명박 반대 정서의 유권자가 '인물의 빈곤'을 이야기하는 이유이기도 하다.(반면 박근혜는 그 선거에서 이명박과의 대결자요, 아울러 승리자이다. 대선, 총선에서 모두 이명박과 경쟁을 벌였던 주인공이다. 단적인 예로, 세종시 파문 때 수정안을 지휘한 이명박에맞선 대항마로 야당이 아닌 박근혜가 주목 받지 않았던가.)

　(이 책의 독자 가운데 유시민의 가능성에 대해 관심을 갖는 이들

이 있을 것이다. 〈국민일보〉 정치부장을 지냈고, 〈데일리서프라이즈〉 대표를 지낸 정치평론가 서영석은 2012년 대선 역시 온존하는 지역 구도를 상정할 때 호남표에 영남표까지 끌어올 수 있는 경북 경주 출신의 유시민이 유일한 야권 승리 카드라고 말한다. 셈법은 같으나, 나의 답은 유시민이 아니다. 2010년 6.2지방선거 당시 경기지사 선거에서 뚜렷하게 나타난 확장성 결여 문제가 치명적인 단점이다. 그걸 극복할 대선까지의 시간과 유시민 개인의 노력, 아쉽다. 안타깝게도 그의 한계이다. 게다가 그는 2011년 4.27재보선에서 자신이 이끄는 당의 후보를 전 대통령 노무현의 고향인 통에 '다 이길 곳'으로 예견했던 김해에 내보냈다가 지고 말았다. 그 치명상이 아물 날을 기약하기 어렵다. 지금은 민주노동당 등 진보정당과의 비민주당 연합을 꾀하고 있다. '4.27에서 승리했어도 이런 액션을 취할까'라는 의문은 갈수록 증폭된다.)

박근혜의 강점으로 '신뢰감'과 '예측가능성'을 꼽는 이들이 많다. 이는 이명박은 물론 노무현과의 차별점이기도 하다. 2004년 당대표부터 현재까지 오는 과정에서 꾸준하게 '원칙'과 '신의'가 있는 정치인이라는 자산을 쌓아왔다는 평이다. 여기에 더해 2012년 '복지' 화두를 거의 선제적으로 제시함으로써 일찌감치 중도 또한 진보로의 외연 확대를 꾀하고 있다. '따뜻함'의 이미지를 더하려는 것이다. 이명박시대에 대한 피로감을 풀어줄 대안의 이미지를 굳히려는 것이다.

박근혜의 한계는 분명히 있다. 여전히 수도권 민심은 그에 대해 물음표를 던진다. '독재자의 딸'이라는 인식과 '경험 부족'에서 비롯된 것이다. 전자에 대한 논란은 유구한 것이기에 배제하고 후자만 살펴보자. 한 트위터 이용자가 2011년 2월 14일에 남긴 글이 있다. '이명박은 안 해 본 게 없고, 박근혜는 해 본 게 없다.' 본의의 여부를 떠나 '나도 한 때 무엇을 해봤다' 시리즈를 양산한 이명박을 풍자하면서 이에 반대되는 박근혜를 비아냥댄 것이다. 박근혜는 열 살도 채 안 돼 국가 최고지도자 자녀의 위상을 가졌다. 하지만 이성관계, 대학입시, 학점·어학·스펙 등 이른바 취업 3종 세트 그리고 취업 본선, 승진, 결혼, 자녀에 대한 육아, 보육, 사교육, 대학 등록금 조달까지 연발되는 '일상의 고민'을 체험한 바가 없다. 퍼스트레이디First Lady로 단련한 정치 감각에 더해 그저 아버지, 어머니의 죽음이라는 비극적 가족사를 자산으로 현실 정치에서 덕 보는 것일 뿐이라는 적나라한 평가는 여전히 유효하다.

야권의 대안 찾기는 이런 한계에서 출발해야 한다. 〈딴지일보〉 총수 김어준은 그런 의미에서 참여정부 시절 대통령 비서실장을 지낸 변호사 문재인을 주목한다.

2009년 5월 30일. 전 대통령 노무현의 영결식이 있던 날, 측근 의원 백원우가 이명박에게 큰 소리로 사과를 요구하며 원성을 쏟아냈을 때 문재인은 그 길로 이명박을 찾아가 사과했다. 사실 문재인으로 말하자면 백원우보다 더 한 회한이 있었을 것이다. 노무현이 인권변호사로서 첫 길을 나설 때 동지로, 훗날에는 대통령 보필자로, 검찰 소환 때에는 변호사로, 고인이 돼서는 유지 계승 사업의 주도자로서 그의 품격은 매우 돋보였다. 그 즈음 풍문에 따르면 최고권력기관의 조사 결과 '박근혜를 이길 수 있는 야권의 카드'로 문재인이 꼽혔다고 한다. 아직 출사표를 던지지도 않은 상황에서 여론조사상 손학규를 누르기도 했다. 대단한 파괴력이다.

'노무현 정신의 계승자', '부산 출신으로 영남으로의 외연 확대

효과' 등을 이야기하는데, 나는 그의 '예측 가능함'에 좀 더 무게를 둬야 한다는 생각이다. 여기에 고된 병역(공수부대 폭파병 주특기), 사법연수원 차석 졸업, 인권변호사로서의 역정 등 '스토리텔링' 거리에다 이명박 정부 아래에서 남몰래 수없이 검증됐을 도덕성, 대통령실장으로서의 국정운영 경험은 해로울 게 없다.

사실 선거판 분석은 구도를 읽는데서 시작한다. 그런 의미에서 이념 지형부터 살펴보자. 박근혜와 문재인이 맞붙으면 독재 대 민주의 대결 프레임이 형성된다. 이명박 반대 여론은 독재보다 민주에 기울게 될 것이다. 지역 구도는 어떤가. 문재인 지지자들은 대구 경북 대 부산 경남+호남으로 본다. '친박근혜'보다 '반이명박' 정서에 기울 수도권, 충청권은 이명박과 같은 당인 박근혜보다 이명박이 죽인 노무현, 그 노무현의 남자 문재인을 주목할 것이라는 주장이다.

문재인이 권력에 대한 의지를 밝히지 않은 상황이라 더 깊은 이야기를 하기란 어렵다. 정치 참여 여부에 대한 물음에 2011년 초까지는 이랬다.

"체질에 맞지 않습니다. 행복해 보이지도 않고요. 정치를 하려면 두 가지를 갖춰야 해요. 역사가 요구하는 방향과 함께 하는 통찰력, 그리고 그걸 선거라는 과정을 거쳐 현실정치 속에서 구현해낼 수 있는 능력이에요. 저는 그런 게 없습니다."

그러나 이후 4.27재보선 당시 김해을 선거구 단일화 과정에 적극 나서서 뜻을 관철했다. 결과는 패배로 끝났지만. 그 이후 문재인은 언론과의 인터뷰에서 "야권 단일후보가 한나라당 후보에게 패배한 경남 김해을 선거 결과는 야권 대통합이 왜 필요한지를 확인해준다. 단일화는 최선이 아니고 한계가 있다. 내년 총선, 대선에서 반드시 승리하기 위해서는 보다 확실한 방법인 통합으로 가야 한다"고 강조했다. 본인이 주인공이 되지 않았을 뿐 현실 정치의 주역으로서 이미 큰 진보進步를 한 셈이다.

그러나 앞서 이야기한대로 18대 대통령직은 뒷수습하다 5년 임기 다 소모하는 자리가 될 것이 유력하다. 이명박처럼 권력의 과도한 행사로도 해결 못할 문제라는 점에서 본다면 이것이 또 다시 정권 반납의 기제로 작용할 가능성 또한 크다. 참여정부 권부 안에서 이齒를 잃을 정도로 몸이 상했던 문재인에게 그런 고충을 맡기는 게 정치는 차치하고 인간으로서 도의에 부합하는 것인지 모르겠다는 이야기도 있다. 아울러 만에 하나 참여정부가 남긴 가치가 또 한 번 상처를 입지 않을까 우려하는 이들도 있다.

그런데 알 수 없다. 문재인은 2011년 5월 이후로 대선 출마에 대한 의향을 묻는 기자들의 질문에 부정도 긍정도 하지 않았다. "그건 답변하기 난감하다"고 답했다. "아니다"라는 말과는 사뭇 다른 뉘앙스다. 부산 경남 지역 총선을 진두지휘하며 정치 실험에 나설 것이라는 시나리오도 곳곳에서 나오는 터다. 야권의 대선 단일 후보가 돼, 대선 승리로 이어지는 꿈은 과연 문재인에게 실상이 될 수 있을까. 안타깝게도 야권지지 유권자의 가늠은 여기까지다. 오바마도 그 길을 그대로 걸었다는 점, 망각해서는 안 된다.

[2] 캐릭터 그리고 콘텐츠

구도가 잘 바뀌지 않는다. 1990년 3당 합당 이후 치러진 모든 대선은 보수 성향의 정당과 상대적 진보 성향 정당의 양대 대결구도였다. 시간이 갈수록 3등의 위력-승패 요인-은 갈수록 축소되고 있는 양상이다. 따라서 2017년 양자 대결구도가 형성될 가능성이 높다.

유시민, 노회찬의 강점은 강한 정체성이다. 철학이 분명하다. 그 철학 속에 논리가 생성된다. 아울러 원칙 없는 정치 술수에 대해 타협하지 않는 강단이 있다. 그러나 1:1 대결구도가 정착된 구조 속에서 연합정치의 주역이 되기란 쉽지 않다. 막판 후보 단일화를 성사시킨 경기지사 후보 유시민은 2010년 6.2지방선거에서 낙선하고 말았다. 2011년 4.27재보선에서는 당 대표로서 김해을 재보선을 이끌다가 또 다시 실패했다. 두 선거 모두 민주당 후보의 양보를 받아낸 단일화였다. 그렇기에 유시민 지지자들은 주요 패인으로 '민주당의 비협조'를 든다. 후보 단일화를 거부한 노회찬은 본인보다는 민주당 후보 낙선에 대한 추궁에 시달렸다. 다른 듯해도 한 맥락이다.

유권자가 잘못된 것일까. 노무현이 했던 "농사꾼은 밭을 탓하지 않는다"는 말을 빌려 그런 명제 자체가 효용성이 없다고 말하고 싶다. 후보 단일화를 초장부터 묵살하건, 또 성사시켜도 협조를 도출하지 못한 건 모두 후보의 정치력 부재에 가장 큰 원인이 있으니까. 사실 같은 편끼리도 연대하지 못하는 이가 과연 통합의 가치에 기초한 국가 운영을 할 수 있겠는가. 지지자만을 위한 정치는 끝났다.

이명박에게서 상실감을 느낀 유권자는 훨씬 똑똑하고 나아가 전략적이다. 1:1 구도를 염두에 둬야 한다. 경쟁후보의 지지자까지 흡인할 수 있는 배려라면 배려, 타협이라면 타협의 방안이 모색돼야 한다. 이 이야기는 뒤에서 또 나온다.

2012년에 정동영이 야권 단일후보가 될 의지가 있다면 2007년 실패의 원인 중 하나인 '집토끼마저 못 잡은 원인'에 대해 성찰해야 한다. 2007년 대선에서 이명박은 수도권에서 52.2퍼센트의 득표를 거뒀다. 2위인 정동영이 15퍼센트 이내로 좁힌 곳은 109개 지역구 중 1곳에 불과했다. 홈그라운드 호남에서 80퍼센트의 지지를 얻었으나, 노무현의 90퍼센트를 상회하는 득표율에 비해 빛이 바랬다. 손학규, 이해찬 등 당내 경선 경쟁 후보의 지지층을 흡수하지 못했음을 입증한 것이다. 열린우리당과 민주당(일부)을 합친 대통합민주신당의 주자라는 프리미엄에 함몰돼 있었던 탓이다.(물론 전통적 야당 유권자 상당수 사이에서 '사표 방지 심리'가 맹위를 떨칠 게 분명하다. 하지만 나는 이것에 대해 폄하할 생각이 없다. 이명박 시대를 경험한 유권자의 전략적 선택이라고 본다.)

후보의 품성, 자세에 대한 논의를 펴는 게 아니다. 이런 구도라면 유시민을 정동영 지지자가, 유시민 지지자가 정동영에 대해 마땅찮아 하는 감정을 상쇄하기 어려울 것이다. 이렇게 되면 연합정치는 겉돌게 된다. 그 해법으로 나는 콘텐츠를 이야기한다. 캐릭터가 지나치게 선명한 탓에 A라는 사람이 이야기하면 이야기보다는 그 사람의 이해利害와 정치적 포석을 중심으로 해석하는 게 앞서고, 결국 무조건적인 찬성과 반대만 낳을 뿐이다. 이래서는 우리 정치까지 후진 상태에 머물게 된다.

무상복지 논란과 관련해 유시민이 보인 행보는 부적절하다. 범야권의 무상복지 아젠다를 본인의 한마디로 어깃장 놓았다. 이런 말이었다.

"3무1반(무상급식 · 무상의료 · 무상보육 · 반값 대학등록금)이라고 덜컥 내놨는데, 구호일 뿐이다. 정책을 잘못 내면 신뢰는 더 깨진다. 지금 우리에게 필요한 건 진보 · 보수를 가르고 원조 · 명품 진보와 짝퉁 진보를 나누는 게 아니다. 길게 보고 국민의 신뢰를 다져갈 때다."

"당시 '야당은 역시 저렇게 뻥뻥 질러야 돼'라는 말이 많았지만, 나는 '감당 못할 거다, 공약 못 지킬 거다' 싶어 무척 불안했다. 결국 집권해 바꿔놓은 게 뭐가 있느냐. 하루살이처럼 정치할 수는 없는 것 아니냐."

"지금 야권이 겪고 있는 어려움의 근본은 신뢰의 위기이다. 신뢰가 없으면 어떤 정책을 내놔도 국민이 안 믿어주고, 그런 상황에서 정책마저 잘못 내면 신뢰는 더 깨지게 될 것이다."

_〈중앙SUNDAY〉 2011. 2. 13 8면

그러나 '왜 반대하는지' 디테일에 관한 것이 없다. 사실 무상복지가 선악의 이분법적 재단이 가능한 문제인가. 계량화된 자료로 반박하는 조중동과 한나라당의 공세가 사뭇 객관적일 정도이다. 또한 누군가의 '내가 한 때 해봐서 아는데'식 어법을 연상하게 한다.(유시민은 참여정부 시절 보건복지부 장관을 지냈다.) 물론 유시민이 진영논리에 갇혀 옳지 않은 것을 옳은 것이라고 이야기하며 양심을 배반해야 했다는 뜻은 아니다. 그러나 무상급식으로부터 출발해 진전된 보편적 복지에 대한 야권의 컨센서스에 대해 이렇게 일축하는 것 또한 그답지 않은 비논리적 접근 방법이다.

글로벌정치경제연구소장 홍기빈은 〈한겨레〉와의 인터뷰에서 유시민의 이런 주장에 대해 이렇게 비판했다. "복지를 경제, 즉 돈의 문제로만 접근해서는 안 된다. 기본적으로 복지는 정치의 영역이다."

사실 복지정책에 대한 수지타산은 경제의 영역이고, 보수진영의 반대를 위한 오랜 논리적 준거였다. 국민에게 보다 나은 복지 서비스를 제공해야 할 정치인마저 돈이 안 되니 그런 아이디어는 그릇됐다는 식으로 접근해야 하느냐 하는 반박이었다. 정치평론가 공희준은 이것을 '정치'를 '행정'과 혼동하는 현상이라고 지적했다.(관련한 내용은 뒤에 나온다.)

이원론적 접근도 문제이다. 한림국제대학원대학교 교수 정관용은 전면 무상급식 현안에 대해 편 가르기를 시도하는 서울시장 오세훈에게 이렇게 질문했다.

"무상급식에 관한 문제를 선악의 개념으로 두 토막 낼 수는 없는 것 아니냐는 이야기가 있다. 절충할 수 있는 여지도 있지 않느냐는 지적이다."
_〈CBS〉 '시사자키 정관용입니다' 2011. 1. 25

유시민의 이런 레토릭rhetoric은 본인의 선명성을 부각하는 캐릭터 치장 외에는 소득이 없다. 거꾸로 유시민이 '자기 정치' 욕심에 사로잡혀 자신에게 주도권이 없는 논의에 재를 뿌리려 한다는 역풍을 불러일으킨다. 사실 유시민 지지자는 이때 '유시민의 대안'을 요구해야 마땅하다. 이것이 캐릭터만 남고 콘텐츠가 부재하다는 비판으로부터 유시민을 지키는 일이다. 이런 점에서 보면 정동영의 처신이 주목된다. 대선주자였으면서 당선 가능성에 천착해 자기 고향에서 나와 옹색하게 국회에 재입성한 부담을 털려 한 것인지는 알 수 없으나, 무상복지 실현을 위한 방안으로 증세안을 구체적으로 제시했다. 정동영은 2007년의 패인으로 '콘텐츠 없음'을 절감한 듯하다. 유시민에게 이런 성의가 아쉽다.

캐릭터 경쟁으로는 유시민이 박근혜를 이길 수 없다. 민주화운동 경력 및 '노무현 적자'의 이미지가 (과장과 한계가 있으나) 한때 국부, 국모로 추앙됐던 박정희, 육영수의 경제성장 신화 및 인자함을 압도할 수 없다. 결국 콘텐츠 승부이다. 박근혜가 복지 이슈를 챙기려 할 때 야권주자의 철학과 정책에 과문할 리 없는 내가 생각해도 유시민 하면 떠오르는 게 없다. 국가 운영 구상이 부재한 것은 아닐 테다. 그의 무수한 책에서 답이 많을 수 있다. 그러나 국민에게 각인한 게 없다. 그러나 캐릭터가 지나치게 부각된 탓이 있을 것이다. 이게 함정이다. 캐릭터가 콘텐츠를 압도하는 구조로는 탄탄한 지지층을 형성하기 힘들다. 2011년 4.27재보선에서 '대통령급 인지도'를 자랑하는 엄기영이 무너진 것을 보면 알 수 있다. 박근혜역시 캐릭터로 존재감을 발산하고 있다. 그렇다면 유시민과 손학규, 정동영 모두 콘텐츠 경쟁으로 반전의 계기를 삼을 수 있다.

퇴임 이후에도 지속적으로 지탄과 조롱 속에 있는 전직 대통령 전두환, 노태우, 김영삼을 보라. 기득권 세력을 지지기반으로 삼고 있는 수구 노선에 서 있다는 점 외에 재임 중 장악한 언론을 통해 돋보이는 캐릭터를 유지하려 했지만 이를 뒷받침할 콘텐츠가 부족한 것에서 놀랍게도 일치한다.

2012년 이야기가 길었다. 2017년 주자로 포커스를 바꿔본다. 2012년에 본선에 오르지 못하거나 본선에서 탈락한 후보가 2017

년에 나오지 말라는 법은 없다. 그러나 이들의 2012년 패배를 전제한 분석은 과잉 예측이라는 판단이다. 그래서 박근혜, 유시민, 손학규, 정동영 네 사람은 배제한다.

[3] 2017년 대선이 갖는 의미

2017년 대선을 2011년에 미리 예측하는 것은 무리이다. 개헌에 따른 권력구조 개편 가능성, 정당 및 인물, 지역구도의 변화 가능성은 상존하고 있기 때문이다. 그렇다고 선거가 임박할 때에 전망은 쉬울까. 아닐 것이다. 그래서 한계를 전제하고 짐작하는 것이다. 한계란 2011년 현재 시점에서의 주요 정치인을 후보군에 둔다는 점이다. 그러나 그때에 이르러도 '다크호스'의 등장은 쉽지 않을 것이라고 판단한다. 이명박을 끝으로 '신화'를 앞세운 이미지 정치가 사라질 것이니까.

정치 지도자는 하늘에서 떨어지는 게 아니다. 기나긴 숙성 과정을 거친다. 이회창을 보라. 1989년 중앙선거관리위원장으로 있으면서 김영삼, 김대중, 김종필 등 야당 총재는 물론 집권당 총재인 대통령 노태우에게까지 재보선 당시의 부정선거를 문제 삼으며 경고장을 보냈다. 이것은 그의 정치적 밑천이 됐다. 노무현은 또 어떤가. 1990년 통일민주당이 여당인 민주정의당과 합당할 무렵, 홀로 "독재세력과 야합할 수 없다"며 반기를 들었다. 이것이 그의 정치적 밑천이 됐다. 샐러리맨 신화를 기반으로 한 이명박, 아버지 시대의 경제성장이라는 정치적 유산을 기반으로 한 박근혜.

2017년 우리가 만날 지도자는 지금 '숙성' 중이다. 그렇다면 그

후보감은 우리 주변에 있다는 이야기이다. 그런데 셈해보니 한나라당은 비상이다. 민주 진보 개혁진영에 비해 터무니없이 적고 약하다. 그나마 인정해줄 수 있는 정도가 김문수, 오세훈 그리고 많이 봐줘서 나경원 정도이다. 왜 이들 셋인가. 이명박은 홀대했지만, 다시 지엄한 잣대가 될 '도덕성' 면에서 그나마 통과 가능성이 높다는 점이 우선이다. 아울러 선거, 그리고 공직 경험이 있다는 점이다. 이는 대중흡인력, 기획력, 정무 능력 등 정치력까지 포함한 것이다. 홀대할 수 없는 부분인 외모도 계산하지 않을 수 없다.

그러나 이들 모두에게는 빈약한 캐릭터 외에 2017년까지 미칠 이명박 시대의 부채를 피하기 힘들다는 문제도 부담 요인으로 작용할 것이다. 왜냐. 이들 모두는 박근혜보다는 훨씬 이명박 편에 선 이들이기 때문이다. 박근혜는 그나마 세종시 수정안 추진 과정에서라던가 각종 선거 국면에서 이명박에게 우호적이지 않았을 뿐더러 그의 시대에 자력으로 얻은 의원 직함 말고 따로 누린 것이 없다. 하지만 김문수, 나경원, 오세훈은 모두 4대강, 대북문제에 있어서 이명박과 뜻을 같이했으며, 각각 경기도지사, 서울특별시장, 한나라당 최고위원으로서 큰 틀에서 국정 조력자로서 함께 했다. 이명박의 적자는 아니더라도 한 식구, 고약한 표현을 쓰자면 '공범'에 가깝다.

2012년에 누가 되더라도 이명박과는 반대편에 서는 이가 대권을 쥘 가능성이 높다. 박근혜도 그 가운데 하나이다. 이렇게 해서 탄생한 정권은 무너진 도덕성, 파탄 난 서민경제, 망가진 환경, 축소된 대외위상 이런 여러 문제를 수습할 것이고, 이 와중에 이명박에게 책임 추궁하는 작업을 이어갈 것이다. 김문수, 나경원, 오세훈이 정녕 큰 꿈을 꾼다면 이명박이 본격 레임덕이 들어서기 이전에 철저한 차별화를 기해야 한다.

주목할 점은 2012년 대선을 앞두고 성공 가능성은 낮지만 박근혜와의 정면 대결에 나서는 이가 있을 것이냐 하는 점이다. 나선다면 친이명박계의 지지를 끌어들일 것이다. 그렇다면 그 순간부터 이명박 사람이 된다. 그렇다면 2012년은 물론 2017년까지 이명박의 정치적 채무를 안아야 한다. 아울러 '박근혜 이후'를 노린다는 명분으로 당내 후보 경쟁에 뛰어드는 상황 아래에서 의미 있는 표차까지 좁혀 2등하지 못할 경우에는 앞날은 더 불확실하다. 이들이 이런 도박에 뛰어들 수 있을까. 그럴 깜냥과 배포가 있어 보이지 않는다.

한나라당의 위기는 여기에 그치지 않는다. 1980년대 민주화운동을 체험했던 이른바 386세대가 50대로, 이명박 후보의 지지율이 가장 저조하며 햇볕정책에 대해 우호적인 세대로 통하는 30대가 40대로, '88만원 세대'로 6.2지방선거 여당 심판의 주역이자 반값 등록금 투쟁의 선봉에 선 20대가 30대로, 촛불을 들던 세대가 20대가 돼 유권자층에 합류한다. 지금도 유권자의 2/3를 이루는 40대 이하 층의 저변이 더욱 넓어진다. 유권자 절반 이상의 표심은 극심한 유동성을 보인다고 할 수 있다. 지역감정을 자극하고 색깔론을 제기하며 '부자 만들어주겠다'하는 허구적 공약으로 몰표를 얻던 한나라당, 구습과 구태에서 쇄신하지 않는다면 집권 기회를 얻기란 쉽지 않을 전망이다.

이 책이 2017년 대선을 주목하는 이유는 그 시점부터 정치 패러다임이 크게 바뀔 것이라는 기대 때문이다. '캐릭터의 시대는 가고 콘텐츠의 시대가 온다'는 이야기이다.

1997년 대선부터 유권자는 후보자의 콘텐츠를 주목했으니, 외환위기 극복을 모토로 한 김대중의 '준비된 대통령'론이 먹혔다. 2002년 노무현은 '행정수도 건설'을 내세워 충청권 표를 휩쓸며 승기를 잡았고, '경제 대통령론'을 거론한 이명박의 2007년 승리가 하나의 초석이 됐다. 물론 이 와중에 1987년 '보통사람의 시대', 1992년 '신한국 창조'라는 추상적인 구호로도 대권을 창출하던 시대는 박물관에 가버렸다. 2012년 박근혜와 민주당이 복지에 주목하는 이유도 마찬가지이다.

2017년은 따라서 여러 가지 부수적이지만 무시할 수 없는 '조건'(지역구도, 신화적 서사, 조직, 확장성, 권력의지)보다는 콘텐츠에 우위를 두는 것이 현명하다.

(본인의 의지와는 무관하게) 꼽아본 2017년 차기 주자군은 김두관, 송영길, 안희정, 이정희 그리고 조국 대략 이렇다. 각각의 이미지를 보자. 진정성, 추진력, 감성, 설득력, 영민함, 원칙주의이다. 너른 지명도는 아니나 지지자의 호감 사유는 이러하다. 이 책이 주목하는 부분은 '이들에게 콘텐츠가 있을까', '있다면 그것이 2017년 시대정신에 부합하는 것일까' 하는 점이다. 계속 대차대조 해보자. (이광재는 뺐다. 책이 나올 시점에 10년 공무담임권이 박탈된 탓이다. 그 판결 결과의 옳고 그름을 따지고 싶지는 않다. 그러나 추후의 사면 가능성을 전제하고 기술하는 것은 비약에 가깝다고 판단했다. 이광재에게 피선거권이 다시 부여되는 날, 다른 통로를 거쳐 전망할 것을 약속한다.)

II

2017
링 위에 오를 그들

김두관
김문수
나경원
안희정
송영길
오세훈
이정희

[김두관]

"지역주의를 쓰러뜨렸습니다."

2011년 6.2지방선거에서 한나라당 후보를 낙선시키고 범야권 단일후보로 나와 당선된 경상남도지사 김두관이 노무현의 묘역에서 한 말이다. 김두관은 '리틀 노무현'으로 불리었다. 그러나 이제는 '노무현의 계승자'가 됐다. 지방자치, 지역균형발전이라는 가치는 김두관의 소중한 콘텐츠이다.

그의 지역 기반은 경남 남해이다. 고등학교까지 남해에서 다녔다. 흥미로운 일화가 있는데, 김두관이 〈MBC〉 퀴즈 프로그램 '장학퀴즈' 2등 출신이란 점이다. 1976년 남해종합고등학교 2학년일 때였다. 김두관은 그 퀴즈를 통해 '나도 할 수 있다'는 자신감을 얻었다고 밝혔다.

똑똑한 인재들은 통상 서울로 가기 마련인데, 김두관은 고향에 머물렀다. 1959년생이지만, 60년대생들과 함께 대학을 다니며 80년대에는 뜨겁게 민주화운동을 하다가 감옥에 다녀왔다. 전형적인 386세대이다. 지방 출신 인사들이 서울로, 서울로 할 때 김두관만은 고향으로 돌아갔다.

그러나 '정치 본능'은 숨길 수 없는 것. 그는 남해농민회를 결성했다. 그리고 1988년 총선에서 '민중의 당' 후보로 나왔다. 흥미로운 것은 그 당시 민중의 당은 지금 정치적 반대편에 선 김문수가 주도한 정치세력이라는 점이다. 그는 3등으로 낙선했다. 그러나 이때의 낙선은 김두관에게 정치란 무엇인가, 민심을 얻는 것이 무엇인가에 대한 돈 주고도 할 수 없는 공부였다.

그리고 남해군 고현면 이어리의 이장을 맡았다. 약관의 나이 스물아홉에 말이다. 김두관은 이 이력을 가장 자랑스럽게 여긴다고 밝혔는데, 주민들의 성원이 컸다고 한다. 그걸 계기로 〈남해신문〉을 창간한다. 특정 자본이 스폰서가 돼 준 것이 아니다. 광고와 촌지로부터 자유로운 신문을 만들겠다며 사장 체면가리지 않고 직접 신문을 들고 배달을 했다.

농민운동, 국회의원 후보, 이장, 신문사 사주. 고향에서 할 수 있는 일이 참 많았다. 그리고 1995년. 민선 군수를 뽑던 선거에 김두관은 출사표를 던진다. 그리고 당선됐다. 돈도, 조직도 없었지만 7년 동안 흘린 김두관의 땀만 믿고 주민들이 밀어준 것이다. 놀랄 노자가 아닐 수 없었다. 그곳은 집권여당인 민주자유당의 텃밭이었고, 상대는 통영시장까지 지낸 거물이었다. 그런데 큰 표 차로 물리치고 당선됐다. 그때 나이 36살이었다.

그의 진가는 군수가 된 뒤에 여실히 드러난다. 1996년 남해에서 벚꽃축제를 벌일 때는 "군수가 시범을 보여야 관광객들이 따라 할 수 있지 않겠느냐"며 남해대교에서 맨 먼저 번지점프를 했다. 남해 노량에서 '벚꽃축제'를 개최하기로 했으나 진해 군항제에 눌려 외지 관광객들의 관심 밖으로 밀려나자 군수가 몸을 날린 것이다. 군수의 점프 소문은 빠르게 번져나가면서 벚꽃축제는 활기를 되찾았고, 결과는 성공이었다.

이뿐만이 아니다. 그는 군수 관사를 헐어버렸다. "내 집이 있는데 뭐 하러 관사를 두나"며 말이다. 그 자리에 민원인들의 주차장과 쉼터를 만들었다. 또 군수실 벽을 유리로 바꿨다. 부정 비리를 근원적으로 차단하겠다며 업무추진비 내역도 인터넷에 공개해 큰 반향을 불러 일으켰다. 주민의 이해가 첨예하게 맞서는 문제는 민원인 공개법정제도를 만들어 그기서 토론하고 결정하도록 했다. 남해군이 발주하는 공사에 주민의 의견이 반영되는 주민 공사 감독관제, 220명의 주민이 요구하면 무조건 해야 하는 감사제도도 도입했다.

혁명보다 어려운 게 개혁이라고 하는데, 저항은 없었을까. 1999년 4월 2일, 43살 된 남자가 군수 사무실로 들어갔다. 그리고 10여 리터 되는 인분을 소파와 책상에 마구 뿌렸다. 왜 그랬을까. 그는 "남해군수 선거 때 도왔는데도 평소 잘 알고 지내는 공무원의 승진 부탁을 20여 차례나 거절해 김두관에게 인분을 뿌리려 했다"고 진술했다. 김두관은 이날 출장으로 자리를 비워 봉변을 면했다. 그 사람은 '당연히' 인사 청탁은 가능하다고 본 것이다.

이 인분은 하나의 비료가 됐고, 그는 그렇게 두 번 군수직을 수행했다. 당적도 없이 말이다. 번지점프가 동기부여가 됐던 것일까. 이장, 군수에 이어 김두관은 도지사로 점프할 꿈을 꿨다. 그리고 2002년 지방선거에서 경남도지사 후보로 나선다. 그러나 떨어졌다. 이미 두 번이나 도지사를 한 한나라당 후보 김혁규 지사의 기세가 워낙 튼실했다.

그러나 낙선자 김두관은 이듬해 일약 스타가 된다. 노무현의 참여정부가 출범하면서 행정자치부 장관으로 발탁된 것이다. 그때 강금실 법무, 이창동 문화부 장관과 더불어 '입을 다물지 못하게 만들었던 인사'로 언론에 평가받았다. 이때 그의 나이 44세. 장관 김두관은 "국장님들은 모두 연배일 것"이라며 "선배님을 형님처럼 잘 모시고, 후배에게는 솔선수범하는 자세로 팀워크를 살려 가면 걱정할 일이 없을 것"이라며 섬김의 리더십을 표방했다. 김두관은 장관 임명장을 받자마자 사무실에 잠시 들르기만 했을 뿐 취임식조차 갖지 못한 채 서둘러 대구지하철 참사 현장으로 달려갔다.

그러나 중앙무대는 여전히 김두관을 아웃사이더로 취급했다. 지방에서만 있다가 서울로 발탁된 인물이 지나치게 우대받는다는 이야기가 돌았다. 이러다보니 야당은 물론 여당 내부에서조차 견제를 당했다. 국회에서는 "당신은 자격이 안 되니 보고는 국장이 하라", "밥같이 먹자고? 당신이 와서 먹을 자리 없어!"이러는 노골적인 배척도 받았다. "이장하다가 장관하니까 좋나?"이런 모욕도 당했다.

그 배척은 좀처럼 그치지 않았다. 그게 결국 장관 탄핵이라는 비운으로까지 이어졌다. 따지고 보니 '리틀 노무현'이 맞다. 노무현도 김두관이 국회에서 탄핵 당하고 반 년 정도 지나서 탄핵을 당했으니 말이다.

김두관이 탄핵 당한 이유는 이렇다. 참여정부 초기에는 진보와 보수 간에 갈등이 노골적으로 불거졌다. 화물연대, 한총련의 시위가 대단했다. 5.18기념식 현장에서는 노무현이 시위대 때문에 길이 막히는 일도 발생했다. 이것 때문에 사과하러 온 5.18유관단체 인사들에게 했던 "대통령 못해먹겠다"는 발언이 또 무수한 뒷말을 낳았고.

경찰 지휘권을 가진 김두관, 힘을 남용하지 않았다. 사실 노무현의 뜻도 공권력을 남용하는 것에 반대하는 것이었다. 그랬더니 야당 의원들은 대놓고 "저러고도 장관할 수 있나"라면서 물러나야 한다고 공세를 펼쳤고, 결국 당시 다수당이었던 한나라당에 의해 밀려나게 된다. 노무현은 강력하게 반발했다. 그런데 좀 이상하지 않나? 대통령이 반발하고, 야당이 정부를 흔드는 상황인데, 여당 의원은 뭐하고 있었는가 하는 점에서 말이다. 당시 여당은 열린우리당이 생기기 전의 민주당이었다. 민주당은 당시 갈라지느냐, 마느냐를 놓고 엄청난 대립과 분란이 있었다.

결국 김두관은 앉은 자리에서 해임된 꼴이다. 당시 유일하게 김두관 장관의 해임 저지운동을 벌인 단체가 있다. 전국 이장·통장연합회였다. 이 사람들은 이장 출신인 김두관에 대한 해임건의안 철회를 한나라당에 요구했다. 그러나 찻잔 속의 태풍이었다. 김두관은 물러났다. 물러난 이후의 삶은 순탄치 않았다. 열린우리당 최고위원으로 정계에서 무게감 있는 행보를 보이기도 했지만, 끊임없이 경남에서 출마하며 끊임없이 떨어졌다.

여기서 궁금한 점이 있다. 김두관은 노무현과 어떤 관계일까 하는 점이다. 두 사람 모두 경남 출신이다. 하지만 김해와 남해는 거리가 있다. 두 사람이 처음 만난 것은 김두관이 농촌운동을 하던 시절, 지역 농민들을 위한 특강 강사로 노무현을 초청하면서부터였다. 노무현은 행사를 주관하던 김두관을 꽤 인상적으로 봤다고 한다. 자신이 이야기했던, 지역 균형발전 철학에 부합하는 인물로 봤던 것이다. "지역주의를 무너뜨렸다"는 일성은 이런 연유이다.

그렇다고 김두관이 무조건 노무현을 지지했느냐. 그건 아니었다. 김두관은 2002년 지방선거를 앞두고 당시 노무현이 김영삼을 찾아가 시계를 보여주면서 "총재님이 준 것이다"라며 인연을 강조하자 즉각 "YS와 손잡는 것은 지역주의 청산이라는 대의에 맞지 않는다"며 공개적으로 비판했다. 또 노무현이 퇴임 이후 박연차씨 사건 때문에 검찰에서 조사받는 상황에 처하자 "돈 문제는 경계해야 했는데…. 돈은 얻어 쓸 사람한테서 얻어 써야지"라며 비판한 바 있다. 노무현에 대해 지지 입장을 가진 이들에게는 달리 보일 수 있는 부분이다.

결국 김두관에게 있어 떼려야 뗄 수 없는 관계인 노무현. 김두관은 그를 주군, 캡틴 이런 개념이 아니라 동지, 동업자 개념으로 본 것이다. 인정주의에 대한 반대, 그것이 12년 '백수' 정치인으로 살아왔던 얄궂은 세월의 배경이자, 인분 맞을 위기를 당하면서까지 결연한 원칙을 지켜온 정치적 근성 아니겠나.

김두관의 캐릭터는 노무현이 역점을 둔 '지역 차별 타파' 노선과 중첩되는 면이 있다. 그러나 노무현은 '지역 구도 타파'에 좀 더 방점이 있다.

김두관은 노무현의 유지를 받들 후계자로서의 이미지가 강하다. 그걸 완수할 것인가. 그래서 그것이 2017년 대권 도전에 시금석이될 것인가. 그것은 경남도지사 재임 중 성과가 말해줄 것이다. 그는 '번영하는 경남'을 약속했다.

[김문수]

김문수에 대한 캐릭터로 '변절자'와 '전향자'가 교차한다. 논쟁적 인물상이다. 긍정이든, 부정이든 정치인으로서 늘 관심의 대상이 된다는 점은 다행스러운 일이다. 대중에게 잊히는 존재가 되기보다 낫기 때문이다.

김문수의 '인생역전' 역정은 이렇다. 경북 영천 영천초등학교를 다니던 시절, 공무원이었던 부친이 친척의 빚보증을 잘못 섰다가 전 가족이 판잣집 단칸방으로 이사 갔다. 전깃불이 들어오지 않는 집이었다. 그러나 영천읍내에서 호롱불을 밝혀 놓고 공부할 정도로 배움에 대한 열의 하나만은 대단했다고 한다. 그렇게 해서 대구경북권에서 난다, 긴다는 수재들이 다니는 경북중, 경북고에 연달아 입학했다. 김문수는 "그 동네에서 유일하게 초가 두 칸에 판잣집 한 칸을 사용했는데, 어느 방에서나 천장 틈새로 파란 하늘이 보였고, 벌레가 기어 다닐 정도로 볼품없는 집이었다"고 회고한다. 그 야말로 형설지공螢雪之功이었다. 가난에 낙담하지 않던 김문수, 서울대학교 상과대학 경영학과에 1970년 당당히 입학하는데 성공한다.

사춘기 시절 가난에 직면했던 그는 학생운동을 통해 사회구조적 문제의 개선을 위한 투쟁에 나선다. 학교에서 제적되는 불운에도 낙담하지 않았다. 그리고 4H운동, 야학을 비롯한 농민운동으로, 도루코노조위원장, 전태일기념사업회 사무국장 같은 노동운동으로 사회 변혁에 앞장선다. 서울지역노동운동연합 지도위원이던 1986년 인천 직선제 개헌 투쟁으로 구속, 고문을 받고 2년 6개월간 복역하면서 정치변혁에 나서기도 했다. 직선제 개헌 이후 김문수는 이재오와 함께 민중당을 창당, 1992년 14대 총선에 나섰지만, 단 한 석도 얻지 못했다.

선거 결과가 나온 다음날, 그는 이재오 앞에서 "국민의 선택을 받지 못하는 정당이 무슨 의미가 있느냐"고 역정을 냈다고 한다. 그로부터 2년 뒤 그는 '5공 잔재세력', '3당 야합세력'이 있는 민주자유당에 들어간다. 김종필이 아직 떠나기 전 시기였다. 하긴 당시 민자당은 하나회 척결, 공직자 재산공개, 금융실명제 도입 같은 과감한 개혁 드라이브를 걸던 터여서 '변절' 시비가 지금 같지 않다.

〈신동아〉 2010년 11월호에 밝힌 그의 변신 이유는 이렇다.

▼ 노동운동가 시기에 본인이 좌파였다고 보나요?

"평등을 이상으로 추구하는 좌파적 생각이 강했습니다. 당시 노동운동은 운동권 내에서도 급진적이었습니다. 나는 그 수괴급으로 구속이 됐죠. 나이나, 조직 내 위치나, 역할에서 다른 사람에게 미룰 수 없는, 그래서 2년6개월 동안 수감됐습니다."

▼ 그렇다면 언제 이념적 전환의 계기가 찾아왔나요?

"분수령은 1987년 사회주의가 몰락의 길에 들어선 것이었죠. 동구권 사회주의 전체의 몰락은 세계사적 사건이고 나 개인에게도 중요했어요. 나는 사회주의가 틀렸다는 걸 깨달았습니다. 혁명노선을 버렸습니다."

▼ 1987년이면 수감되어 있을 때가 아닌가요?

"전 지구적인 문제였기 때문에 감옥도 그 영향에서 벗어날 수 없는 공간이었죠."

▼ 출소 후 바로 우파가 된 건가요?

"한 단계를 더 거칩니다. 출소 후 어떻게 해야 하나 고민했어요. 사회주의를 포기했다고 자유민주주의를 받아들이기는 그렇고, 저희가 생각해낸 게 사회민주주의, 사회적 시장경제 이런 거였죠. 스웨덴에 유학 가려고 준비도 했어요. 그러나 더 공부해보니 그 나라가 아주 바람직한 사회로 보이지는 않더라고요. 초강대국에 둘러싸여 있는 우리나라와 여건도 너무 다르고요. 결국 우리나라는 일정 정도 국가경쟁력을 갖춰야 살아남을 수 있고, 그러기 위해선 자유민주주의체제밖에는 없다는 데에 이르게 됐습니다."

▼ 민자당에 들어가 국회의원이 된 것이 전향이나 특혜는 아닌지.

"민중당을 만들어 1992년 선거에서 한 석도 못 얻고 선관위로부터 정당해산 명령을 받았어요. 이후 권인숙씨가 하던 구로공단 오거리 노동인권회관의 소장으로 있었습니다. 김영삼 대통령 쪽에서 입당 제안이 왔어요. 논의 결과 YS 개혁은 역사적 의미가 있다고 판단해 받아들였습니다. '전향 아니냐, 특혜 아니냐'고 하는데 내가 지역구로 받은 부천소사는 민자당에서 '자갈밭'으로 통하던 곳이에요. 아무도 안 가려고 하던 곳이죠. 당시 부천소사 현역 의원인 박규식씨는 국회의원 중 재산이 가장 많은 재력가에다 그 지역 토박이였고, 다른 경쟁자인 박지원씨는 대변인으로 이름을 날리던 스타 정치인이었죠. 유권자 성향도 이들에게 절대 유리하니 민자당 후보가 당선될 턱이 없는 곳이었죠. 그런 곳의 지구당위원장 자리를 받아 2년 뒤 총선에서 내가 당선됐습니다. 좀 못생기고 넥타이도 잘못 매는 내가 잘생기고 넥타이를 잘 매는 박지원 씨를 이긴 거죠."

전술한대로 김문수는 1994년 민주자유당에 입당한 후 1996년 신한국당 공천을 받아 제15대 국회의원 총선에서 부천시 소사구에 출마한다. 그리고 당시 김대중 전 대통령의 최측근이던 박지원을 누르고 당선되면서 전국적 스타로 발돋움하게 된다.

그러나 이 캐릭터만으로는 대권까지 이르기에는 동력이 달린다. 따라서 어떻게든 콘텐츠를 만들기 위한 그의 노력은 다른 여당 후보권에 비해 두드러질 수밖에 없다. 경기도지사를 대권 도전의 시금석으로 삼는 식의 권력에의 의지가 그렇다.

김문수는 2017년보다는 여건이 허락한다면 2012년도 꿈꿀 만하다. 김문수는 박근혜와 같은 1951년생이다. 출신 또한 TK로 같다. 게다가 보수 기반의 한나라당을 기반으로 하고 있다. 그러나 박근혜에게 없는 강점, 수도권에 기반을 두고 있다는 것 또한 주목할 요소이다. '독재자의 딸'보다는 '과거의 좌파'가 낫다는 반대 진영의 약한 비토정서도 끌어안을 만하다. 박근혜에 비해 비교적 이명박과 가깝다는 점에서 대권 레이스에서 상수는 못 돼도 변수는 될 수 있는 이명박의 도움을 구할 수도 있다. 따라서 박근혜 대세론이 위협받을 때 한나라당의 다음 카드로 부상할 수 있다.

　그러나 앞서 언급한대로 이런 것들이 워낙 '실체 없는 프리미엄'인지라 직접 표로써 연결될지는 알 수 없다. 그래서 그는 경기도지사 선거에 최선의 결과물을 도출할 뜻을 감추지 않고 있다.

　불합리하다고 판단되는 수도권 규제를 폐지하고, 광역교통망을 구축하며, 외자 유치를 위한 인프라를 확충하고, 외자 기업의 유치와 중소기업 경쟁력 강화를 통한 일자리 창출이 그러하다. 지극히 한나라당다운 성장 노선이다. 게다가 반미노선의 거부, 쌍용자동차 등 노동계의 투쟁에 대한 강도 높은 공권력 진압 지지는 거의 환골탈태換骨奪胎에 가까운 변신이다. 이 모든 것은 이해할 수 있다. 기실 민주당도 집권시에는 미국과의 친선을 도모했으며 노동계와 사사건건 대립했기 때문이다.

　그러나 현대사에 대한 그 나름의 규정은 놀라울만하다.

　"자유민주주의 대한민국은 반만년 역사에 가장 빛나는 순간이다. 그 일등공신은 당연히 건국 대통령 이승만이다. 그런데 국민들은 이승만이 이 나라를 만들었다는 사실을 모르거나 아예 이승만을 '나쁜 영감'이라고 생각한다. 세계에서 가장 짧은 기간에 성공을 이룬 대한민국을 세운 데 대해 고마워하는 사람들이 몇이나 되나."

　_2010. 9. 경기북부상공회의소 특강

　〈조선일보〉는 그 속내를 이렇게 짚고 있다. "건국 대통령 이승만 되살리기'에 앞장섬으로써 '대한민국 정통성'이라는 명분을 얻고, 이를 통해 우파右派가 주지지층이라고 할 수 있는 한나라당의 대권주자로 확실한 자리 매김을 하겠다는 의도라는 것이다. 한나라당한 의원은 "서노련, 민청학련 등으로 대표되는 과거 운동권 전력前歷 때문에 아직도 일부에서는 '김문수가 진짜 우파가 맞나'하는 의구심이 남아 있다"며 "이승만 코드는 이런 우려를 불식시키는 과정이라고 볼 수 있다"고 했다.'

그러나 기회주의와 권력욕, 민주주의 압살, 부패를 방조 조장한 이승만에 대한 평가는 지나치게 설익다. 광화문광장에 그의 동상을 세우자는 논리를 접할 때에는 이 모든 주장이 정치적 수사였음을 자인하는 꼴이었다.

결국 벌써 20년이 다 돼 가는데도 자신이 속한 보수진영에서의 터 굳히기가 여의치 않음을 방증한다. 아직도 보수진영 일각에서 '김문수는 원래 좌파다'로 부정적으로 보는 시각을 의식한 것이란 이야기이다. 이런 관점, 놀라울 정도로 정확하다고 나는 진단한다. 김문수가 한나라당 진영에 악의를 품고 위장 입당한 트로이 목마라고 단정할 자신은 없으나, 적어도 그의 몸에 흐르는 '진보의 피'는 어쩔 수 없다는 생각이다. 그는 적어도 얼치기가 아니다. 사학자 한홍구는 2005년 3월 8일자 〈한겨레21〉에서 "김문수는 받아쓰기만 잘하던 뉴라이트하고는 경험의 폭과 깊이가 다른 사람"이라고 평했다. 그는 민주주의의 기본을 아는 인물이다. 전면 무상급식과 관련, 그는 의회 절대다수를 점하는 민주당과 충돌 대신 타협을 택했다.

2011년 1월 18일에 한 〈매일경제〉와의 인터뷰 내용이다.

▼ 무상급식 문제를 두고 경기도는 야당의 포퓰리즘에 굴복했다는 시각도 있다.

"경기도의 친환경 급식 예산은 무상급식 관련 예산과 뿌리가 다르다. 친환경 우수 농축산물에 400억원을 지원하면 안전한 학교급식, 자유무역협정FTA 발효에 따른 농축산업 지원이라는 일거양득의 효과가 있다. 난 의회 민주주의자다. 의회와 야당을 존중하고 타협점을 찾는 것이 내 정치적 소신이고 철학이다. 경기도는 도의회 의견을 받아들여 보트쇼, 에어쇼, 광역철도사업 등 총 3500억원의 예산을 삭감하는 대신 교육청 예산을 500억원 증액했다."

▼ 오세훈 서울시장이 서울시의회와 대립하는 게 잘못됐다는 뜻인가.

"오 시장이 용감하게 싸우고 있지만 서로 상처가 크게 남고 시민들도 피해를 볼 수 있다. 결과에 대해 생각해 봐야 한다. 정치인은 각을 세워야 주목을 받지만, 국가나 지자체를 책임지는 사람은 설득과 포용의 리더십이 있어야 한다."

대화와 타협의 원리를 경영할 줄 아는 자세, 이게 바로 김문수의 노련함이다. 이걸 높게 평가하고 싶다. 그러나 좌파가 전공인 복지에 김문수가 애정을 갖는 이유는 단지 반대파의 요구를 수렴하는 차원이라는 점을 넘어서 그의 이념적 DNA가 그러하며 차기, 차차기 대선의 화두가 바로 복지임을 간파한 것이라고 판단한다. 고로 김문수가 가꾸려는 콘텐츠는 복지이다.

"복지는 한나라당이 특히 중시해야 할 아젠다다. 뚜렷한 해법이 없다. '과감한 복지'만이 해법이다. 우리나라의 출산율이 세계 218위다. 세계 최악의 저출산 국가가 됐다. 이 문제 극복에 나라의 명운이 달렸다. 저출산을 해결하려면 보육 문제가 해결되어야 한다.

발상을 전환해 부모 대신 국가가 보육을 맡아야 한다. 지금 민간 어린이집이 보육을 맡고 있다. 국가의 지원도 거의 없다. 지원을 획기적으로 늘려야 한다. 경기도가 시범적으로 운영하는 맞벌이 부부를 위한 보육 서비스 인기가 폭발적이다. 이런 걸 모든 국민에게 확대해야 한다."

현재 경기도는 급전이 필요한 서민에게 크게 묻지도, 따지지도 않고 선뜻 건네주는 '무한돌봄' 서비스를 시행하고 있다. 이는 기존의 복지 상식을 뛰어넘을 뿐만 아니라 파격적이다. 'OO 모델'을 추종하며 베껴쓰기에 혈안이 된 진보진영은 김문수의 역습을 주의해야 한다. 그러나 그 역습이 김문수의 자기부정이 될 수 있다는 점도 주목하게 된다. 아직 한나라당에게 복지는 기회가 아니라 멍에이다. 그래서 수구 기득권 세력의 주무대인 한나라당이 2012년에 패해야 김문수에게 기회가 있다는 '김문수의 역설' 또한 관심 있게 지켜볼 대목이다.

(사실 '변절' 논란에 대한 김문수의 해명은 그리 설득력이 없다. 2010년 11월 2일 서울대 법대 초청강연에 나섰다가 대학생들로부터 "좌파에서 사상전환을 한 계기가 무엇이냐", "결과만 좋으면 정당한 결정이냐"는 질문을 받고는 "글로벌 리더가 되려면 너무 반대만 하지 말고 긍정적 시각도 가지라"는 엉성한 수사만 나열했다. 그러나 '회심'이라는 화두는 20대에 그리 먹히지 않는 분위기이다. '좌파 탈피'가 아닌 '좌파 외연 확대'라고 '솔직히' 이야기하라는 주문을 하고 싶다. 솔직히 그런 것 아닌가.)

[나경원]

현존하는 여성 정치인 중에 박근혜 다음으로 캐릭터 경쟁력을 갖춘 사람, 바로 나경원이다. 2010년 한나라당 새 대표를 뽑는 선거에서 비록 3위를 했지만, 여론조사에서 1위를 차지하며 한나라당 선출직 최고위원이 됐다. 선거만 있으면 연예인 버금가는 러브콜을 받는 당내 인사이다. 따라서 박근혜의 뒤를 잇는 '차세대 선거의 여인'이라 하겠다.

나경원의 인기 비결을 짚어보자. 첫 번째는 정치에 몰입해 있지 않은 듯한 모습이다. 많은 주변 지인들은 인간 나경원이 정치를 할 것이라고 생각하지 않았다고 한다. 한 언론이 보도한 판사 시절 나경원 주변 인물의 증언이다.

"법대에는 야심만만한 친구들이 많았지요. 그런데 나경원은 워낙 여성스러운 데나 출세욕 따위도 없어서 정치할 친구로는 전혀 보이지 않았습니다."

평소에도 정치에는 관심이 없었다고 한다. 나경원 스스로도 "정치가 사회에 기여하기보다는 도리어 그 반대라고 생각했죠. 별 관심도 없어서 신문을 봐도 1면을 보고 정치면은 건너뛰어 뒷면만 읽었으니까요"라는 언급을 스스럼없이 밝혔다. 정치 전면에 나선 이 순간에도 '이거 아니면 안 된다'라는 투지 또는 집착, 이런 것은 잘 나타내지 않는다.

나경원은 언제 정치에 입문하게 됐을까. 2002년 대선 시기였다. 한나라당 대선후보 이회창의 특보로 정계에 입문한 것이다. 판사였던 터여서 법복을 벗어야 했으니, 한마디로 투신한 셈이다. 나경원은 처음 당사에 나갔을 때 모든 게 혼란스러웠다고 술회한다. 대표적으로 세 가지를 꼽았다. "회의에서 먼저 자리를 잡는 사람이 임자더라. 젊은 사람이 너무 나서면 건방지게 보일 수도 있는데, 여기선 그게 미덕이더라. 시도 때도 없이 악수해야 하는 게 이상하더라." 이런 것이었다.

이회창과는 서울대 법대 선후배 사이였다. 선배의 한마디에 판사에서 정치인으로 변신한다? 그랬다. "학교와 법조계의 대선배께서 권유하니까 그냥 외면하기가 힘들었다"고 말했다. 그러나 살이 3~4kg이나 빠질 정도의 고민이 수반됐다.

이때는 또 어땠을까. 자신을 정계에 입문시켜준 이회창이 한나라당을 탈당해 무소속으로 대선에 출마했을 시점에 말이다. 당시 나경원은 대변인이었다. "이회창씨는 이제 분열과 반칙을 상징하는 정치인이 됐다. 이번 선거가 보수 대 보수의 대결이 아니라 민심에 역행하며 의리를 버리고 원칙을 애초부터 버린 반칙의 싸움이 됐다"(2007년 11월 9일자 논평)고 비난했다. 원칙적 비판이라고 하기엔 강도强度도, 그 대상과의 친밀성도 모든 게 어색하다.

두 번째, 휴먼 스토리이다. 지금의 남편인 서울지방법원 서부지원 판사 김재호와 3년의 열애 끝에 결혼했다. 주변의 이목을 끄는 부분은 두 사람이 고시공부하던 시절부터 연애했다는 것이다. 여기에는 동기 한 사람이 더 관련돼 있다. 2010년 6.2지방선거 서울시장 경선 때 단일화한 한나라당 사무총장을 지낸 원희룡이다.

지난 2008년 총선 당시, 원희룡은 사무실 개소식에서 나경원을 놓고 두 남자가 삼각관계를 이룬 것 아니냐는 해석을 낳을 만한 발언을 했다. "(김 판사는) 나랑 적이었다. 예쁜 여자를 놓고 적이었다. 앉아 있는 거리를 보면 알겠지만, 제가 왕창 깨졌다"라고 했다. 그는 과거 사모했던 여성과 서울시장 단일화를 한 셈이다. 뭇 남성의 선망을 받은 것, 인기를 먹고 자라는 여성 정치인에게 해^害 될 것은 전혀 없다.

러브스토리 못지 않게 주목되는 것은 다운증후군을 앓고 있는 딸 유나다. 유나도 실은 나경원을 정치 무대로 인도하게 했던 모티브였다. 이런 일이 있었다. 유나를 좋은 환경에서 정상아들과 함께 교육을 받게 해주고 싶어 모 사립초등학교에 원서를 냈다. 우리 현실에 쉽지 않은 일이었다.

그러나 딸의 장애를 언급하자 교장의 안색이 획 바뀌었다. "우리 학교는 장애아 안 받습니다." 나경원은 지지 않았다. "얜 충분히 수업을 받을 능력이 있습니다. 왜 안 된다는 거지요?" 그러나 교장의 반응은 모욕적이기까지 했다. 어떻게 이럴 수가. 나경원은 훗날 "너무 분해서 소송을 할까, 사회문제화 할까 별 생각을 다했습니다. 하지만 아이에게 자칫 상처를 주거나 아이를 이용해 이름을 판다는 오해를 살 수도 있겠더라고요"라고 했다. 그래도 다른 장애아 부모들을 생각해서도 그냥 넘어갈 일이 아니었다. 교육부에 호소했으나 한참 뒤 "구두경고를 했다"는 무성의한 답이 돌아왔다. 구두경고, 흔적도 안 남는 요식행위이다.

나경원은 관련 법조문을 찾아 근거서류를 만들어 보내면서 판사 신분을 밝혔다. 그랬더니 그제야 서면 경고나마 이뤄지더라고 했다. 새삼 '아직 멀었구나'하는 깨달음과 함께 정치에 대한 필요성을 느꼈다는 것이다.

나경원은 의원이 되자마자 국회 연구단체인 '장애아이 위 캔We can'을 만들어 장애아동을 위해 활동했다. 지금은 특수아동에 대한 조기교육의 필요성을 강조하고 있다. "국가 입장에서도 특수교육의 질을 끌어올려 미리 미리 장애아들을 교육시키는 것이 성인이 된 장애인들을 위한 각종 복지제도를 마련하는 것보다는 비용 측면에서 이익일 것"이라며 말이다. 개인 경험에 기초한 애환을 정치로 풀겠다는 주권의식, 평가할만하다. 그러나 복지 아젠다 경쟁에서 나경원의 존재감은 없다. 장애인의 애환을 대변할 자기 목소리 또한 약하다.

세 번째는 앞서도 수차례 언급한 '외모'이다. 사실 2002년 대선 당시 후보 이회창의 특보로 임명됐을 때 "이회창의 날카로움을 상쇄할 병풍 특보 아니냐"고 비하하는 시각이 있었다. 이것은 나경원에게 대중 친밀도를 높이는 보조수단이어야지 이게 절대화돼서는 안 된다는 평가다.

성희롱 발언의 주인공 강용석은 나경원을 일컬어 "얼굴은 예쁘지만 키가 작아 볼품이 없다"고 폄하한 것으로 알려졌다. 이런 망발이야 소개할 가치도 없지만, 피해자인 나경원 역시 여전히 '외모 하나로 미는 정치인'이라는 한계에 봉착한 자신의 캐릭터를 숙고해볼 필요가 있다. 존재감이 있는 듯해도 참 없는 정치인이 바로 나경원이라는 이야기이다.

딴지일보 총수 김어준의 이야기이다.
"자연인 나경원에도, 정치적 나경원에도 아직은 주어가 없다. 어떤 규범에도 압도되지 않고 어떤 연출도 없이 삶의 모든 문장에 주어를 새겨 넣으며 있는 그대로 살아내는 자, 얼마나 되겠는가만은 그의 한계는 그 대목에서 여실하다. 여전히 숙제하는 학생, 검사받는 아이, 결재 얻는 직원. 그 대상이 부모와 선생과 법원과 정당으로 바뀌어 왔을 뿐."

나경원. 2012년 총선 후보 결정이라는 '게임의 법칙'을 짜고 있다. 국민참여경선 아니고서는 어렵다며 당내 의원의 기득권 포기를 요구하고 있다. 이명박의 총선 공천 개입, 의원들의 집단 반발이라는 걸림돌이 가시화되는 상황 속에서 그는 자신의 목소리를 관철할 수 있을까. 캐릭터도 취약한 데다 이렇다 할 콘텐츠가 부족한 현실, 나경원의 꿈은 대선에까지 이르지 못하는 터일까.

정가 일각에서는 그가 서울시장, 대통령으로 이어지는 엘리트 코스를 노리고 있다고 이야기한다. 그 코스가 시험 잘 본다고, 근무평정 좋다고 갈 수 있는 길일까. 김어준의 말마따나 대통령은 착한 어린이에게 주는 표창장이 아니다.

[안희정]

2017년 주자로 안희정이 꼽힌 것은 민선 충청남도지사가 됐다는 점, 빈번한 좌절을 딛고 공직선거 출마 시도 6년 만에 재기했다는 점, 무엇보다도 그 길이 고인이 된 '캡틴' 노무현과 고락을 같이하다가 그가 권력을 쥘 무렵에 단 하루도 아랫목에 있어보지 못했다는 점이다. 그가 '노무현 정신'에 있어서 가장 진정성 있는 계승자로 불리는 이유다.

대통령 이명박은 2010년 6.2지방선거 직후 "왜 여권에는 안희정, 이광재 같은 사람이 없는가"라며 탄식했다고 한다. 기실 스스로 그 답을 못 구한 것일까. 안희정, 이광재 두 사람은 1994년 노무현이 세운 지방자치실무연구소에 합류하면서 '캡틴'의 권력획득 가능성이 아닌 추구하는 가치를 주목했다고 여러 글을 통해 밝혔다. "끝까지 같이 가자"는 제안을 받았다는 것이다. 목표점은 금전, 보스, 지역구도 없이 존치하기 힘든 정치구조의 혁파였다고 한다.

반면 이명박의 인적 인프라는 기득권으로 맺어진 결속이다. 안희정, 이광재가 결국 십 수 년이 됐지만 끝을 알 수 없는 아웃사이더의 길을 택할 때 그 목표를 안개 속 기득권으로 삼을 것이라는 상상, 과한 것이다.

유시민이 "참여정부의 모든 부채를 계승하겠다"고 했지만, 이는 이미 안희정이 지고 갚아왔다고 해도 무리는 아니다. 대선 자금 수

사로 구속돼 참여정부 내내 아무런 공직을 맡지 못했을 뿐만 아니라 18대 총선에서는 이 전력이 문제돼 민주당 공천심사 대상에서 배제되기도 했다. 정권을 한나라당에 내줄 무렵인 2007년 12월에 자신을 '폐족', 즉 조상이 큰 죄를 지어 벼슬을 할 수 없게 된 자손이라며 더욱 몸을 낮췄다.

노무현은 온갖 오해와 구설에도 불구하고 이런 안희정에게 짙은 동지의식을 표출했다. "(안희정씨는) 나의 측근이자, 오래전부터 동업자였고, 동지라고 감히 말한다." 집권 후 두 달 뒤 열린 TV토론회에서 한 말이다. 그때는 안희정씨와 연관된 나라종금 퇴출 저지 로비 의혹 사건을 검찰이 수사할 무렵이다. 당시 "수사 가이드라인을 제시했다"며 적대적 언론의 지탄이 쏟아졌다. 하지만 안희정은 수감됐다.

그 뒤 안희정의 여러 혐의들이 쏟아지는 가운데서도 노무현은 2004년 3월 11일 특별기자회견 자리를 빌어 "안희정씨가 대선자금 중 2억원을 유용해 아파트를 샀다고 하는데, 옛날 집을 팔고 새 집을 사는 과정에서 일시 자금을 융통해서 지급한 것은 사실이나 결국 옛 아파트를 팔아서 지급했다고 하니, 엄격히는 유용에 해당할 수 있겠으나 착복의 고의가 있었다고 보지는 않는다"고 했다. '대통령이 아니라 안희정 변호인이냐'는 비난이 쏟아질 상황이었다. 하지만 노무현은 "(안희정씨가) 저지른 어처구니없는 실수에 대해서는 용서하기 어려운 마음이고 원망스럽기도 하다"면서도 "아직도 그 사람들에 대한 신뢰를 거두기가 어렵다"고 했다.

안희정은 자신이 당시에 받은 수사에 대해 여전히 '부당하다'는 입장이다. 그러나 판결을 수용했다. 그 수용은 참여정부 검찰 수사권 독립에 대한 노무현의 의지를 빛낸 효과가 있었다.

노무현 생전에 안희정은 2008년 7월 민주당 최고위원 경선에 나가서 당내의 썩 좋지 않은 평가에도 불구하고 노무현의 가치와 철학을 홍보했다. 그리고 당선됐다. 이어 2010년 6월 지방선거에서 충청남도지사에 당선됐다. 그때에도 사자死者가 된 노무현의 가치와 철학을 강조했다. 이명박이 생각하는 것만큼 간단한 인연이 아닌 것이다.

여기서 주목할 점은 김종필, 이회창, 이인제라는 노회한 지역 맹주와 살갑지 않은 처지임에도 충남도민의 호의를 얻은 점이다. 충청권 리더의 세대교체를 자력으로 해낸 것이다. 그의 기치인 '2인자 정치를 청산하겠다'가 먹힌 것이다. 그에게서 '첫 충청 출신 대통령'에 대한 꿈을 봤을까.

이화여대 정치외교학과 교수 김수진은 「한국의 정당정치에 있어서 지역주의 문제의 기원과 해결방안」이란 제목의 논문에서 '충청권 지역주의는 처음부터 영호남 지역주의에 대한 반작용으로 탄생했다. 충청 지역주의는 전략적 성격을 강하게 띠며 유연하고 다양한 모습으로 나타났고, 영호남 지역주의에 비해 이념성이 약하고 실리적인 측면을 강조하게 됐다'고 풀이했다. 그도 그럴 것이 충청권 인구로는 영호남 후보를 누리고 대권을 쥐리라는 것은 산술적으로 가능한 일이 아니다.

이러다보니 '캐스팅 보트'의 역할로 한국 정치의 중심적 지위를 놓치지 않았다. 17차례의 대통령 선출 과정에서 직선으로 실시된 11번 가운데 5·16쿠데타 이후인 1963년 10월15일 실시된 5대 대선을 제외하고는 모두 충청표 1위 후보가 대통령이 됐다. 하지만 충청도 출신 직선 대통령은 한 명도 없었다. 윤보선 대통령은 아산 출신이지만, 국회 간선으로 당선됐다. 물론 충청도민들이 충청도 출신 후보를 민다고 해서 그 후보가 당선될 가능성은 커 보이지 않는다. 그러다보니 세의 대결보다는 콘텐츠 또는 실리의 대결에 치중하게 되는 것이다.

(이를 두고 이명박은 대선이 있던 2007년 1월 17일 '기묘'한 해석을 입 밖으로 내놓아 굳이 야기하지 않아도 될 구설수를 자아냈다. 이런 말이었다. "홍문표 한나라당 충남도당위원장이 '충청도 표가 가는 곳이 (대선에서) 이긴다'고 언급했다. 나는 '되는 곳에 충청도 표가 따라가서 이기는 것 아니냐'고 말했다." 그러니까 충청도 유권자가 약삭빠르다는 이야기였을까.)

여기서 중요한 구분점이 생긴다. 우선 김종필, 이회창, 이인제의 경우 충청권 표심을 정치적 지렛대로 이용했다. 충청권의 이익에 상치될 때에 "핫바지로 대접했다"느니 "멍청해서 당한 것"이라느니 같은 배타적 구호를 내세워 중앙 정치를 호령했다. 그러나 여기서 그치는 경우가 다반사였다. 그들은 '충청도만의 정치'로 그쳤다. 확장성을 스스로 감쇄시켰다. 유권자의 계산은 치밀했다. 주요 지역 선거마다 자기 지역의 이익을 표방하는 정당에 표를 몰아줬지만, 이들이 중앙무대에서 신통찮은 주가를 나타낼 때엔 서서히 외면했다. 그 결과 한 사람은 은퇴했고, 나머지 두 사람도 하한가이다.

반면 안희정은 개방적이다. 민주당이라는 야권 내 유력 전국 정당에서 최고위원 자리에 올랐고, 노무현 전 대통령 핵심 측근으로서 꽤 무게 있는 위상을 키워갔다. 충청권이 키워주기도 전에 알아서 커서 돌아온 경우라고 하겠다. 영호남도 주목하는 충청권 지도자로서는 박정희 시절의 김종필 이후로 유일하다. 게다가 지금은 세종시 수정, 과학벨트 백지화, 4대강 사업 등으로 중앙정치권과 대립각이 서 있다. 충청권의 중앙권력 반대 정서가 최고조인 것이다. 싸움의 상대가 클수록 자신의 체급도 커간다 했던가. 안희정으로서는 거대권력과 맞설 수 있는 최적의 요건이다.

그러나 중앙정부의 예산책정권이라는 거대 권력 앞에 광폭의 정치가 쉽지 않다. 여전히 충청권 안에서의 자기 기반이 확실치 않은 탓이다. 안희정이 처한 이 현실, 기회인 듯하나 위기이다. 그러나 지사직에 적응하고, 총선, 대선 등의 중대 정치 이벤트를 거칠 경우 본격적인 시험대에 오르게 될 것이다. 이때에 기대했던 백조가 될지, 아니면 오리에 그칠지 주목된다.

[송영길]

송영길은 친동교동인가. 아니다. 김대중을 지지해도, 그의 파벌 정치와 보조를 맞춘 적이 없다. 그렇다면 친노인가. 아니다. 노무현을 따라 열린우리당에 합류했지만, 한 번도 주류가 돼 본 적이 없다. 언제나 혼자였다. 386세대 정치인이라는 수식어가 있으나, 정서가 다르다. 경제산업적 관념은 보수에 가깝다. 기업에 대한 규제를 과감히 풀자는 쪽이다. 물론 정치사회적 식견은 진보적 색깔이다. 북한과 담 쌓는데 혈안인 정부의 체면 따위는 안중에도 없이 단독 대북교류를 시도했다. 이런 차별화가 송영길식 스스로 정치의 요체다.

연합뉴스와의 인터뷰에서 밝힌 송영길의 좌우명은 이렇다. '꼬마 전구일지라도 스스로 빛을 만드는 사람이 되고 싶다.' 어떤 큰 힘에 연결돼야 빛이 들어오는 전등이 아니라 역사와 민족 앞에 스스로 판단하고 움직이는 자주적인 인물이 되겠다는 다짐이란 설명이다.

송영길의 인생에는 '스토리'가 있다. 군사정권의 서슬이 퍼렇던 1984년 연세대 초대 직선 총학생회장에 당선된 뒤 이듬해 집시법 위반으로 서대문구치소에서 옥살이를 했다. 풀려난 뒤에는 부평 대우자동차 르망공장 건설현장의 배관용접공을 시작으로 주안5공단의 벽시계공장, 계양구 면장갑공장에 근무했고, 택시기사로도 지냈다. 7년이나. 이런 역경을 두려워하지 않는 인생은 고등학교 때에 광주항쟁을 경험한 것에서 비롯된다. '러시아혁명사'와 '러시아지성사'를 접하며 모든 민중이 두루 행복한 세상을 꿈꿨고, 사회주의 사회에 대한 동경도 없지 않았다. 그러나 1980년대 말 그 사회주의는 붕괴됐다. 믿기지 않았던 모양이다. 송영길은 반드시 자신의 눈으로 확인하겠다며 동유럽과 소련을 찾았다. 그리고 마음을 고쳐먹었다.

나이 서른에 사법시험에 도전, 변호사가 된 것도 이 경험 이후였다. 그러나 노선은 바뀌어도 지향점이 달라진 것은 아니었다. 그는 인천에서 노동인권 변호사로 활약했다. 이런 송영길을 눈여겨 본 김대중은 1999년 인천 계양구 국회의원 재보선에 그를 내보냈다. 안타깝게도 미끄러졌다. 권력층 인사 부인들의 '옷 로비' 추문의 여파였다. 흥미롭다. 당시 상대는 안상수('보온병'으로 유명한 사람은 과천 안상수다.)였다. 그러다 이듬해 리턴매치에서의 승자는 송영길이었다. 그리고 이들은 정확하게 10년 뒤인 2010년 6.2지방선거에서 인천광역시장 자리를 놓고 붙는다. 송영길의 승리다.(그새 송영길은 16, 17, 18대 총선에서 내리 승리해 3선 국회의원으로 민주당 최고위원을 지냈다.)

질긴 악연인가 보다. 인천광역시장이 된 송영길은 안상수 시대의 '똥'을 치우느라 지금도 여념이 없다. 넘겨받을 시점에 시의 부채가 1년 예산을 넘는 9조4,000억대에 이르렀다. 온갖 전시성 행사, 건설로 인천이 만신창이가 됐던 것이다. 이대로 방치하다간 퇴임 시점인 2013년에 이르면 11조대의 위기 상황을 맞이할 가능성이 높았다. 이러다가는 2014년 인천아시아경기대회 개최는 물론 시 공무원 월급 지급도 어렵게 될 상황이었다. 이 위기 해소 요구에 어떻게든 송영길은 반응해야 한다. 쉬운 일은 아니다. 그러나 여전히 작동하는 대권 구상 속에서 이 위기를 기회로 반전시킬 뜻은 분명해 보인다.

송영길은 '신40대 기수론'을 내걸며 출사표를 던졌다. 서울시장 출마로 말이다. 그러나 인천시장 쪽으로 돌렸다. 당의 요구를 수용한 듯하지만, 그의 선택은 좀 더 전략적이다. 후보 수락 연설에서 "버락 오바마 대통령이 미국을 바꿨듯이 인천을 바꿔 한국의 심장으로 만들겠다"고 했다.

잠재적 대선 주자로서의 포석을 깐 것이다. 그러나 구상이 설익은 듯하다. 일단 세력과 자금의 부재라는 큰 문제가 걸린다. 이는 노무현과 동일하다. 하지만 노무현은 진성 지지자를 통해 이겨냈다. 송영길 주변에 사람이 있을까. 당 안팎을 가리지 않고 화살을 겨누며 쓴 소리를 하는 통에 "건방지다"는 비판을 듣는다는 점을 적시하는 게 아니다. 문제는 건방지다는 오해를 사더라도 선 굵은 정치를 했느냐 하는 점이다. 17대 국회에서 미국 요구에 의한 파병 반대 입장을 선명히 하면서도 국익을 앞세워 한미자유무역협정에 대해 지지 입장을 표한 점은 아무리 논리적 부연이 뒤따르더라도 '노선 불분명'의 인상을 주기에 충분하다. '바람'의 필수 요건인 '선명성'을 상실하다보니 송영길은 '잘 나가는 야당 정치인' 정도로 비춰질 뿐이다. '스토리가 아깝다'는 이야기는 이 때문에 나온다.

일부는 송영길의 출신(호남)을 통해 유력한 차기 지역 리더로 거론한다. 철지났다고는 하지만 여전한 한국 정치의 중요 변수가 '지역구도'인 점을 감안하면 시뮬레이션은 해볼 만하다. 그러나 '송영길이 호남을 위해 한 일이 무엇인가'라는 반문 어린 답이 나온다.

송영길의 기반은 호남이 아니라 인천이라는 이야기이다. 인천시장 출마는 어쩌면 송영길에게 '득템'이 아닌 '실템'이 된 측면도 있다. 그렇다고 이제서 '고향 찾기'를 시도하는 것은 그다지 실익이 예상되는 모험이 아니다. 태산 같은 적자를 극복하고 건실한 인천으로 되살리는 능력, 이게 송영길의 유일한 활로이다.

송영길은 동북아 지역에 대한 전문성을 갖춘 정치인이 되겠다는 포부로 앞서 방송통신대 중어중문학과를 졸업하고 다시 일어일문학과에 편입하기도 했다. 인천을 변방이 아닌 대한민국의 경제수도로 만들겠다는 구상 때문이다.

그런 의미에서 송영길에게 지역 구도는 그리 매력적인 기제가 아닌 듯하다. 지금까지 구호로만 운위된 동북아 리더 구상, 실현된다면 활로이며, 막힌다면 여기까지가 그의 정치적 운이라고 보면 될 것이다. 인천에서 더 이상 후퇴할 곳이 없다.

[오세훈]

오세훈이 서울특별시장직을 그만뒀다. 그 자리의 중량감은 '장관급' 정도로 설명하자면 모자람이 있다. 수도 서울에 사는 1000만 인구의 다수로부터 표를 얻어야 오를 수 있는, 대통령 다음으로 가장 권위 있는 선출직이기 때문이다. 오세훈은 2011년 8월 24일 서울시 무상급식 주민투표의 개함(33.3퍼센트 이상의 투표율 기록)을 위한 투표 참여를 호소하며 이 같은 자신의 뜻이 받아들여지지 않을 경우 시장직에서 물러나겠다고 약속했다. 매우 독한 승부수였으나, 시민은 25.7퍼센트라는 투표율을 나타내며 외면했다.

이제 오세훈은 야인이 됐을까. 그래서 백척간두에서 풍상(風霜)을 맞고 있을까. 아니다. 여전히 '그늘' 아래에 있다. 그 '그늘'은 무엇일까. 시계를 2010년 6월 2일에 맞춰보자.

'통합 강남구청장 오세훈.'

지난 2010년 6.2지방선거에서 붙은 수식어다. 오세훈은 당시 강남 기득권층의 몰표가 없었으면 정치적 실업자가 될 뻔 했다. 시장이 됐건만, 75퍼센트를 점하는 서울시의회의 야당 절대 우위 구조가 오세훈의 출세가도의 큰 걸림돌로 자리했다. 파열음이 계속됐다. 구실은 시의회 다수당인 민주당의 무상급식 정책이었다.

'디자인'에 떡칠할 비용을 아까워하지 않으면서 무상급식 비용에는 '망국' 운운하며 필사적으로 반대하는 양상에 서울시의회는 분노했다. 무상급식를 막지 않으면 무상의 수렁으로 빠지게 된다는 게 오세훈 논리의 틀거리 아닌가. '서민에게 갈 예산을 부자급식에 쓴다', '여러분에게 세금 폭탄이 날아든다'…. 언제부터 한나라당과 오세훈이 서민을 생각했으며, 부자를 경계했는지 웃음만 나온다는 비판이 적지 않았다. 이에 서울시 교육청 측은 반(半)조롱 조로 "오세훈은 부자를 너무 미워하는 경향이 있다"며 비꼬기도 했다.

당선 과정에서 부유층의 지지를 받은 사실과 한나라당 소속이라는 점만 잊으면 오세훈에 대한 이 지적은 꽤 일리가 있다. 반듯한 외모와는 달리 넉넉지 못한 집안 사정으로 인해 달동네에게서 고단한 유년기를 보낸 기억이 오세훈에게 있기 때문이다. 매년 오르는 전세금 때문에 초등학교만 네 번을 옮겨 다녔고, 삼양동 판자촌에서 전기가 없어 해가 지면 호롱불 아래에서 기름 냄새를 맡으며 책을 읽었던 일화도 유명하다. '우리 집이 아니더라도 주인 눈치 안 보고 쭉 살아도 되는 집이 있으면 좋겠다'는 마음도 품었다는 전언은 영화의 한 장면 같다.

그러다가 '쨍하고 해뜰 날'이 시작된다. 1984년. 당시 26회 사법시험에 합격해 변호사로 개업한 오세훈은 1991년 부평 산곡동 K아파트 일조권 소송을 맡아 승소하면서 세간의 이목을 끌었다. 아파트의 동과 동 사이의 거리가 너무 좁아 대낮에도 형광등을 켜야 할 정도로 일조권 침해를 받았다며 소송을 제기해 건설사로부터 13억 원의 손해배상을 받아낸 것이다. 언론은 주목했다. 잘생긴 외모와 뛰어난 언변이 눈에 띄었다. 이후 그는 MBC TV의 〈오변호사, 배변호사〉, SBS TV의 〈그것이 알고 싶다〉 프로그램에 사회자로 발탁됐다.

오세훈은 일조권 소송 와중에 공해추방연합이라는 시민단체와
인연을 맺었다. 훗날 환경운동연합의 뿌리가 됐던 단체다. 최열과
의 인연은 이렇게 맺어졌다.(최열은 2006년 오세훈의 서울시장 인
수위원장을 맡았다). 오세훈은 대표적인 진보적 율사 모임인 '민주
사회를 위한 변호사' 모임에도 참여한다. 회비를 내지 않아 사실상
탈퇴한 셈이 된 2004년 1월 이전까지 말이다.

그런 오세훈이 정계에 입문한 시점은 2000년. 그런데 이보다 1
년 앞서 한나라당은 물론 대통령 김대중이 속한 새천년민주당으로
부터도 영입제의를 받았다.(이와 관련해 진술이 엇갈린다. 국민의
정부 시절 정무수석을 지낸 김정길과 새정치국민회의 전 원내총무
정균환은 오세훈이 민주당 쪽에 입당을 타진했다고 주장한다). 그
러다 "나는 보수다"라며 한나라당을 선택해 서울 강남을에서 금배
지를 달았다. 변절 혹은 전향이라는 극단적 표현은 어울리지 않겠
으나, 직선길로의 행보는 아닌 듯하다. 이와 관련한『88만원 세대』
공저자인 우석훈의 언급을 주목할 만하다.

"시민단체에 한나라당 지지자들이 들어오는 것은 세 가지 경
로가 있다. 진짜 일반 시민, 그러나 환경운동 · 여성운동 등 분
야운동의 뜻에 동감해서 참여한 정말 순수한 동기. 두 번째는
역전향파들, 직장인들이나 전문가들 중에서 뒤늦게 생태운동이
나 문화운동의 중요성을 생각해서 자신의 정치적 성향과는 다
르지만 같이 하는 사람들이 있다. 새만금 때 가장 많이 도움을
주었던 정치인은 내 기억으로는 민주당 의원들이 아니라 전재
희 장관이었다. 어떻게 한나라당 사람들과 같은 테이블에 앉을
수 있느냐고 하지만, 하다 보면 그런 일이 생기기도 한다. 세 번

째 부류는 보험파라고 부를 수 있다. 민주당 10년 정권이 들어 오면서 한나라당 계열의 전문가들이 보험용으로 시민단체에 자문 역할 등으로 참여하게 되었다. 나쁘게 보면 박쥐 같은 사람들이기는 하지만, 현실적으로는 막 출발하던 당시의 시민운동 역시 전문가들의 지원이 절실했기 때문에 결과적으로 이들의 지원이 필요했던 측면도 있다."

_〈경향신문〉 2011. 4. 26

소신파·보험파·순수파 중 오세훈의 '선택'은 소신파에 가까워 보인다. 대학 재학 시절부터 운동권과는 거리를 두었고, 정계 입문 이후에도 환경·복지 등 '삶의 질' 문제에 천착하며 온건개혁 노선을 추구했다는 점 때문이다. 보수의 배경 속에서도 변화와 개혁의 뜻을 펼칠 수 있다는 믿음이 있었다. 그는 2003년 9월 당 연찬회를 전후해 '5, 6공 인사 용퇴론', '60대 노장 퇴진론'을 내걸면서 당내 인적쇄신운동을 주창했다. 정치개혁특위 간사를 맡아 이른바 '오세훈 선거법'으로 불리는 3개 정치관계법 개정을 이끌었다. 이 법으로 여러 선량, 단체장이 철퇴를 맞았다. 대신 깨끗한 선거 풍토는 꽤 정착했다. 그래놓고는 '떼놓은 당상'이었던 재선을 마다하고 정계에서 은퇴했다. 자신의 개혁에 사심이 없었음을 보여주기 위한 선택이었다. 오세훈의 재기어린 정치적 처신은 대중에게 큰 인상을 남겼다. 그러나 은퇴는 또 하나의 '스펙'이 돼 서울시장 후보로의 '컴백'에 지대한 견인차가 됐다.

서울시장 재선 이전까지는 오세훈에게서 '한나라당' 이미지가 강하지 않았다. 온건, 합리, 그러면서도 개혁적 노선에 훈남 이미지까지. 어쩌면 '비한나라당' 성향의 노선이 그의 강점이었다. '이명박 심판론'이 맹위를 떨쳤던 2010년 6.2지방선거에서 승리할 수 있었던 배경도 여기에 있었다. 그러나 오세훈은 '탈선'한다.

다시 이야기는 오세훈과 서울시의회의 충돌 국면으로 돌아간다. 또한 '오세훈은 대통령감인가'를 주제로 설정해 보자. 직설적인 질문을 던져본다. '오세훈이 대통령이 됐을 때에 여소야대의 국회와 마주칠 경우 어떻게 대처할 것인가' 이렇게 말이다. '반대'가 업(業)인 야당을 설득하면서 본인의 국정운영 구상을 현실화할 수 있겠는가 하는 물음이다. 이런 일화를 통해 가늠할 수 있다.

오세훈은 서울시 예산 20조 5850억 원 중 695억 원의 무상급식 예산을 놓고 의회와 갈등을 빚으며 반년 동안 출석을 거부하는 무리수를 뒀다. 사실 오세훈에게만 뭐라 할 수는 없다. 오세훈의 한 핵심 측근은 〈시사IN〉과의 인터뷰에서 "시의회가 그동안 해도 너무했다. 시의회 시정 질의를 나가면 시의원 한 명당 40분씩 시장을 세워놓고 일장훈시를 한다. 38분 동안 질문하고 답변은 서면으로 내라는 식이다. 하루에 네댓 시간씩 이런 벌세우기를 두 달에 한 번씩 했다. 어르신행복타운, 한강예술섬, 양화대교 교각폭 확장 공사…. 시의회가 오세훈 시장 예산이라면 앞뒤 재지 않고 날려버려 손발이 꽁꽁 묶였다"라며 하소연했다. 또한 시의회는 조례를 만들어 무상급식 예산을 편성했다(이에 오세훈은 '예산 삭감할 권한은 있지만 편성할 권한이 없는 시의회가 월권을 했다'며 권한쟁의 소송을 내며 맞섰다).

이런 충돌 시기에 긴요한 것은 '정치' 즉 타협이다. 통상 비선 라인을 만들어 꾸준히 소통하며 타협점을 모색하는 방안이 있다. 좀처럼 융통성을 보이지 않았다. '약자로서 어쩔 수 없는 선택' 운운하며 시의회 불출석 사태에 대한 책임을 시의회에 떠넘기며 줄곧

날을 세웠다. 공사판에 비유하자면 시장과 의회의원은 시행사와 감리사의 관계다. 키는 시장이 쥐고 있다는 이야기다. 경기도 사례를 보듯 김문수는 역시 민주당이 다수를 이루는 의회와 무상급식에 관한 원만한 타협점을 이뤄냈다. 깎인 예산 상당 부분을 회복하고, 무상급식 공약에 대한 민주당의 요구를 수용하는 식으로 '윈윈' 했던 것이다. 김문수는 "애들 밥 먹는 문제 갖고 그리 심하게 나올 필요 없다"며 오세훈을 말리는 진풍경까지 연출됐다. 오세훈에게 '그레이트 빅 엿'을 날린 셈이다.

'신사 오세훈'이 '투사'로 돌변한 데에는 크게 세 가지 해석이 가능할 것 같다. 첫째, '시의회 길들이기'다. 현 시의회의 '버릇을 고치지 않으면' 앞으로 임기 내내 식물 시장이 될 수밖에 없다는 위기감이 역력하기 때문이다. 목표가 '다음 다음 대선'이라지만, 그래서 가급적 무탈하게 지내는 게 상책일 수 있겠지만, 시의회에 활로가 막혀 4년 임기를 고통 가운데 수행해야 하는 현실은 오세훈에게는 소모적이고 비생산적으로 비춰진 게 아닌가 싶다. 그래서 여론에 직접 호소함으로써 시의회의 '폭거'를 잠재우겠다는 계산을 한 것 같다.

두 번째, '대권 노림수'다. 오세훈의 '무상복지 망국론'은 스스로 '보수의 아이콘'이 되려는 의중의 발로라는 것이다. 자신에게 투영된 개혁성, 온건함의 이미지가 한나라당내 보수 세력의 '코드'와 상치된다는 일종의 부담감이 감지되는 부분이다. 박근혜의 '다음'을 노리는 입장에서 보다 강렬한 보수성과 투쟁성을 입증할 필요가 있었다. 이런 와중에 북유럽 좌파 이념인 무상복지가 좋은 '맞상대'라는 인식을 하게 됐고 결국 건곤일척의 승부를 벌이는 것이다. '애들 밥그릇 갖고 싸운다'는 비판이 귀에 들어오지 않았던 이유도 여기에 있었을 터.

그러나 정치학박사 고성국은 이런 해석에 동의하지 않는다. 오세훈의 '성정' 탓으로 보는 것이다. 미화하자면 위기에 정면승부로 맞서는 것이고, 냉정하게 평가하자면 자기를 둘러 싼 비우호적 환경에 견디지 못하는 소아병적 행태라는 것이다.

그런 의미에서 민주당 전 의원 정봉주의 지적도 귀 담아 들을 필요가 있다. 이게 세 번째 해석이다. "전 시장 이명박이 신임 시장 오세훈에게 서울시를 넘길 당시, 부채가 13조였다. 그러나 오세훈이 12조를 더 늘려 현재 25조가 됐다. 한 해 이자만 1조. 25개 구청으로 내려 보내는 교부금도 반으로 줄였다. 결국 서울을 파산 위기에까지 이르게 했다. (중략) 더는 시장직을 수행할 수 없겠다는 의중에는 이런 뒷감당이 불가능하다는 판단이 있었다." 시의회와의 충돌을 빌미로, 수습 불가능한 국면을 도피하려 했다는 지적이다. 고성국 주장에 힘을 싣는 해석이다.

결국 오세훈은 자신의 운명을 2011년 8.24 주민투표에 걸었다 결국 실패했다. 그래도 희희낙락이다. 25.7%의 투표율 즉 고정 지지층의 실존을 확인했기 때문이다. 향후 50%에 못 미치는 투표율이 나올 경우 한나라당은 연전연승하게 될 것이라는 판단을 하며 당 지도부와 상의 없이 시장직을 내려놓았다(이는 앞으로 중요 선거의 투표율이 50%에 못 미치며, 이 중 '고정 투표자'인 25.7%의 유권자 모두 한나라당 지지성향의 표심이라는 전제일 때에 가능하다. 이런 유치하고 단선적인 선거 공학적 접근은 전례가 없지만). 이 투표율은 강남 몰표에서 비롯됐다. (서초구 36.2%, 강남구 35.4%, 송파구 30.6%) 이와 관련해 〈딴지일보〉 총수 김어준은 "강남의 결집은 이제 비강남권의 결집을 부를 것이고 장래 한나라당

에게 위협이 될 수 있다"고 해석했다. 대책 없는 낙관이 독이 될 개
연성도 없지 않다 하겠다.

오세훈의 배짱 좋은 판단에는 이명박의 지지가 있었기에 가능하
다. 서두에 언급한 '그늘'의 실존은 바로 청와대였던 것이다. 한나
라당이 반대했던 주민투표 개최, 시장직 연계, 조기 시장 사퇴를 멋
대로 결행할 수 있었던 것도 대통령 이명박과의 교감 때문이라는
분석이다. 정치권에서는 이미 '정설'로 통하는 논리다.

요컨대 오세훈은 최악의 길로 걸어가고 있다. 2012년 총선과 대
선은 'MB 심판론'으로 치러질 것이라고 전술했다. 또한 이런 민의
를 받아 현재 3순위 안에 있는 주요 대선 후보(박근혜, 문재인, 손
학규) 누구라도 집권 시 이명박 시대의 가치 및 철학과는 절연(絶
緣)할 것이 분명하다. 또한 청산을 감행할 가능성도 크다. 따라서
이명박과의 유무형 제휴는 오세훈에게는 날개가 아닌 짐이 될 것
이다. 게다가 주민투표 국면에서 보여준 비타협적이고, 비인도적
이며, 이기적인 태도에 민심은 돌아설 것이다. '두 번 다시 볼 일 없
다'는 당 대표 홍준표의 격노가 상징하듯 자신의 정치적 기반이어
야 할 한나라당조차도 등을 돌릴 것이 뻔하다.

결론 내린다. 2017년 대선 레이스에서 그를 만날 수 있을까. 솔
직히 의문이다.

[이정희]

2011년 4.27재보선 직후에 나는 트위터에 이런 글을 남겼다. '소리 소문 없이 신뢰를 쌓아가며 그러나 무섭게 저돌적으로 정치적 지평을 넓혀가는 정치인이 있다.' 민주노동당 대표 이정희 이야기이다.

이정희의 수완이 대단하다. 원내대표로 야권 연대의 산파 역할을 했던 2010년 6.2지방선거에서 인천 동구와 남동구 등 수도권에서 첫 진보 구청장을 배출하고, '진보정치 1번지' 울산 북구를 탈환하는 기염을 토했다. 광역의원 24명, 기초의원 116명의 당선자를 냈다. 총 출마자 447명의 32.3퍼센트가 선거에서 이긴 것이다. 당대표가 돼서 두 번째 재보선인 4.27 당시 금쪽같은 원내 의석을 하나 더 추가했다. 민주당이 전남 순천에서 무공천 약속을 했고, 이에 따라 당 소속 김선동을 내세워 당선시킨 것이다.

그냥 된 게 아니다. 당 대표가 되고 첫 번째 재보선 이야기를 빠뜨렸다. 이때 이정희는 많은 정치 저널리스트의 호평을 받는 사건을 만들었다. 때는 2010년 7월 어느 날. 이정희는 당대표로서 서울 은평을 국회의원 재보선에서 장상 민주당 후보로의 단일화를 승인하기 10분 전이었다. 그런데 사건이 터졌다. 광주 동구청장 재보선 민주당 후보 쪽에서 턱밑까지 쫓아온 민주노동당 후보를 따돌리기 위해 "민주노동당은 반미 정당이다", "한나라당 2중대다"라며 공격해왔다.

당내에서는 당장 "판을 깨자"는 목소리가 나왔다.(사실 이런 마타도어는 4.27에서도 없지 않았다. 민주당 후보로 나오려다 당의 무공천 방침에 반발해 탈당 후 무소속 출마를 한 후보들이 민주노동당 후보의 '친북' 여부를 집요하게 캤기 때문이다. 당시 민주당 일부 조직이 무소속 후보를 밀고 있던 터였다.) 하지만 이정희는 치솟은 열을 가라앉히고는 '이걸 계기로 민주노동당이 결코 흔들리지 않는다, 작은 길로 에돌아가지 않는다, 과거로 되돌아가지 않는다'는 마음을 먹고는 단일화 서류에 사인했다.

여기로부터 민주노동당 그리고 이정희의 '야권 단일화'의 진정성이 빛난다. 이런 이정희를 2010년 여름에 만났다.

'완벽주의.' 이정희 민주노동당 대표에 대한 첫 인상은 이러했다. '전국 수석', '서울대 합격'. 이건 완벽주의자의 전유물이다. 이뿐인가. 의원 배지를 달자마자 닭장차에 끌려가고, 여당 '육체파' 여성 의원의 완력에 짓눌리고, 경찰 군홧발에 짓밟히며 고난을 자초하는 패기覇氣. '그래, 이정희 의원은 바르고 옳아. 하지만 부담스러워.' 이게 솔직한 내 소회所懷였다. 왜냐. 별 세계 독종같으니까.

✱ 기지촌의 6살 여자아이 얼굴이 안 잊혀진다

만나자마자 물었다. "스스로 완벽주의자라고 생각하느냐"라고. 질문은 생뚱맞지 않았다. 전당대회에서 차기 대표일꾼으로 선출되자마자 전국을 누비다 인터뷰 며칠 전, 병원에 실려 갔기 때문이다.

"이 질문엔 '얼굴이 안 잊혀진다'는 말로 답을 대신하고 싶어요. 대학 졸업을 앞둘 무렵, 동두천 기지촌에서 만난 6살 여자 어린이였어요. 아버지는 미군 병사, 어머니는 한국인 성매매 여성이었지요. 아버지는 여느 주한미군과 다르지 않게 1년 근무 후 본국으로 떠난 뒤 연락을 끊었고, 어머니는 유흥업소에 진 빚이 너무 많아 딸을 두고 도망갔어요. 이 어린이는 포주 손에 양육되고 있었고요. 생각해보세요. 포주는 무슨 심산으로 이 여자아이를 거뒀을까요. 오로지 인류애적인 마음이었을까요. 아니면, 아니면…. 지금은 스무살이 넘었을 텐데…."

'엘리트' 이정희는 이 어린이의 얼굴을 마주하고는 양지로 향하던 발걸음을 가시밭길로 돌린다. 그리고는 '이 세상의 사악함과 맞서 싸우려면 자신부터 먼저 단단하게 무장해야 한다'고 다짐한다.

✽ 더 발전된 야권 연대 위해선 힘이 있어야 한다

완벽주의에 대한 오해가 풀렸다. 하지만 여전히 이정희 대표가 '가까이하기엔 너무 먼 당신'인 이유는 그가 속한 진보정당이 갖는 완고한 이미지이다. 날카로운 주장과 서릿발 같은 투쟁, 장렬한 전사로 이어지는 3단계 정치 공식에는 도무지 대화와 타협의 속성으로 요약되는 융통성과 권력에의 의지가 전무하다. '진보정당은 불임정당이 아니라 피임정당'이란 말도 있지 않은가.

그러나 이런 오해 역시 6.2지방선거를 기점으로 모두 풀렸다. 거대 야당과 소수 야당의 주도권 다툼 때문에 도저히 돌파구를 찾지 못할 것 같았던 야권 단일화에 탄력을 가한 당이 민주노동당이고, 이정희 의원은 강기갑 당시 대표와 더불어 원내대표로서 그 선봉에 섰기 때문이다.

"지방선거를 거치면서 당원의 표정이 달라지더군요. 활력과 자신감을 얻은 것입니다. 이젠 공직에도 진출하고 행정에도 참여하게 됐습니다. 10년 노력한 것, 드디어 성과로 나타나고 있습니다."

확실히 고무됐다. 그러나 정당도 사람이 모여 있는 공간이라 '야권 단일화를 빌미로 자기 인기 모으기에 치중한 것은 아닌가'하는 질시를 접하지는 않았을까. 그러나 이건 '이정희 독트린'이 아닌 '민주노동당원 독트린'임을 이정희 대표는 분명히 한다.

"당이 유연해졌지요? 힘이 생겨서 그렇습니다. 민주노동당이 더 발전된 야권 연대 그리고 진보정치의 통합을 적극 선도하려면 당의 기반이 튼튼해져야 합니다."

여기서 이정희 대표의 '자기 객관화론'을 요약해본다. 민주노동당이 야권 연대에 기대는 것이 아닌 무게중심이 돼야 한다는 주장이다. 그러기 위해서는 실력을 쌓아야 한다는 것이고.

"지방선거를 거치면서 절실히 느낀 것은 힘이 있어야 한다는 점입니다. 물론 연대를 위해서는 거대 정당이 독식하기보다는 양보하는 미덕도 보여야겠지요. 그러나 민주노동당을 비롯해 그 어떤 당이든 그것에 기대어 자기 실력 이상으로 얻어내려는 과욕을 보이면 안 됩니다. 자력으로 지분을 요구해야 합니다. 그러려면 힘을 길러야 합니다. 그래야 2012년 총선, 명실상부한 야권 연대가 성사되고 대선도 그 무드로 가게 됩니다. 한쪽에 힘이 쏠리면 끌려가게 돼 있습니다. 민주노동당, 실력을 키워가야 합니다."

어떻게 실력을 쌓겠다는 것인가. 말하자면 어떻게 대중정당으로서 민주노동당의 지평을 넓히겠다는 것일까. 정답은 '진정성'이었다.

"한진중공업 구조조정 사태가 터져 나온 초반부터 홍희덕 의원과 부산시당이 사태 해결에 적극적으로 나섰어요. 그런 끝에 구조조정을 막아냈지요. 일터를 지킨 공로를 인정해줘서 였을까요? 한

진중공업 노동자 100명 넘는 분들이 입당했고, 영도에서 기초의원 진출을 성사시킬 수 있었습니다. 민주노동당은 자본의 논리와 위력이 세상을 삼키는 시대에 약자인 노동자의 마지막 보루가 돼야 합니다. 이게 우리의 존재 의미입니다."

한때 '철 지난 종북주의 추종세력', '수구좌파'라는 오명을 들으며 '꼴통'으로 내몰리던 민주노동당, 확실히 '전략적'으로 변모했다. 이런 유연함이라면 당장 민주노동당, 진보신당으로 갈린 진보정당의 통합도 환상이 아니라는 생각이 들었다. 기실 이정희 대표의 전당대회 공약도 여기에 무게중심이 있다.

"사실, 밖에 나가면 '둘은 왜 갈라져 있느냐'는 이야기를 많이 듣습니다. 아마 진보신당에서도 같은 이야기를 듣지 않을까 싶습니다. 절대 못 합칠 양자일까요? 진보신당과의 통합 대원칙은 이미 3월에 합의된 상태입니다. 따라서 신뢰회복을 위한 충분한 시간과 서로 간에 진정성 확인이 이뤄진다면 크게 어려운 일이 아닐 것이라 판단됩니다."

❊ 이른바 '종북주의' 갈등도 씻어낼 수 있을까?

"남북, 북미 상호 간에 핵문제를 위시한 한반도 평화정착 원칙에 큰 차이가 있던가요? 민주노동당과 진보신당도 의견이 다르지 않습니다. 따라서 이러한 사안이 진보정치 통합의 심각한 걸림돌이 되리라고 보지 않습니다."

✱ MB정부 국정 난맥상, 퇴임 이후라도 책임 물어야

그러고 보니 이정희 대표를 만난 2010년 7월 22일은 국회에서 미디어관계법이 변칙 처리된 지 1년 된 날이다. 그날, 한나라당 의원들로 둘러싸인 의장석에서 MB악법이 하나둘 처리됐다. 야당 의원들은 이를 온몸으로 저지하려고 힘썼다. 하지만 끝내 좌절되고 말았다.

따지고 보면 그해, 우리는 참 비루했다. 연초에 용산참사로, 봄에는 노무현 전 대통령의 서거로, 여름에는 미디어법 날치기와 쌍용자동차 노조에 대한 인면수심격의 탄압, 가을과 겨울에는 4대강에 대한 만행 앞에서 무력함만 느꼈다. 돌이켜보면 우리가 몸으로 또 마음으로 울던 그 현장엔 어김없이 이정희 대표가 있었다.

이러다보니 이정희 대표는 친노부터 선명 진보까지 두루 신망을 받고 있다. 원조 '친이親李'는 쇠락하는 반면 DNA가 다른 '친이'는 거듭 그 지평을 넓혀가고 있다. 나는 이를 '작은 차이를 극복하며 통합의 대의를 앞세운 리더십'이라고 평가한다. 나 역시 '친이'가 되고 있는 것일까. 그 무렵 이명박 대통령이 한나라당 전당대회에서 "작은 차이를 넘어 승리하는 게 한나라당의 전통"이라고 밝힌 말이 생각났다. 이정희 대표의 반응을 들었다.

"그 말씀 하시려면 형님 비판했다고 4선의 중진 의원 사찰하는 행동은 막으셨어야지요."

아무렴이다. 내친 김에 '김칫국 먹는다'는 소리 듣기를 각오하고 물었다. "2012년 대선에서 본인이 대안이 될 생각이 있냐"고. 그러나 이정희 대표는 본인 대신 민주노동당 차원의 입장을 밝혔다. "2012년에 민주노동당이 얼마나 도약했는지, 집권을 허락할 만큼 국민으로부터 신뢰받는 단계에 이르렀는지가 중요하다"고 했다. "나는 아직 생각 안 해봤는데, 주변에서 부추긴다"는 식의 관용적 표현조차도 아니다. 축구로 비유하자면 민주노동당이 스타 몇 명의 개인기에 의존하는 것이 아닌 조직력으로 승부하는 팀이란 이야기 이다.

진보정권 집권 이후 4대강은 어떻게 할 것인지에 대해서도 물었다. 단호한 답을 들었다.

"못하도록 최선을 다해 막아야지요. 그럼에도 불구하고 끝내 밀어붙인다면 다른 대안을 찾아야 할 것입니다. 때마침 김두관 경남지사 인수위원회에서 이 문제를 연구했는데, '폭파하는 게 답'이라는 결론을 내렸다고 합니다. 미국도 1950년대에 댐을 엄청나게 많이 지었다가 1990년대 들어 원상회복하는 과정에서 유일한 방안으로 폭파를 꼽게 됐다고 합니다. 인간이 만들어낼 수 없는 자연 본래의 모습으로 돌아가는 게 첩경이라며 말입니다."

4대강은 결국 이명박 정부의 독선과 아집이 빚어낸 산물이다. 허튼 데 돈 뿌리고는 정작 써야 할 복지비용에 대해서는 "하루 6,300원으로 황제의 삶을 누릴 수 있다"며, 민노총 표현으로 '개드립'을 날리는 현 정권에 대해 임기종료 후 응징해야 한다는 여론도 적지 않다. 말하자면 퇴임한 이후라도 MB에게 국정을 파탄 낸 책임을 물어야 한다는 주장이다. 이정희 대표도 생각이 다르지 않았다.

"작년에 기획재정위에서 한나라당의 한 의원이 농담반 진담반으로 '이렇게 국가부채가 심각해지면 좋은 건 하나있다. 다음에 아무도 정권을 안 잡을 것이란 점이다'라고 했다. 그럴 정도로 다루기 어려운 수준의 문제가 돼 버렸다. 노무현 전 대통령처럼 권력의 그림자도 이용하지 않은 경우라면 모를 일이다. 국정 난맥상에 대한 책임을 퇴임 이후라도 물어야 한다고 본다. 정치 보복을 해야 한다는 이야기가 아니다. 법적으로 문제될 소지가 있다면 엄중하게 추궁해야 할 것이다."

✱ 2012년 대선, 보편적 복지 실현이 진보진영의 모토

다음 대선 이야기를 더 해보자. 대선 국면에서 우리 국민은 각 후보의 미래 가치를 따진다. 1992년 군부정권 종식, 1997년 경제위기 극복, 2002년 국민통합, 2007년 경제성장을 요구했던 것이다. 전 정권 심판, 비도덕적 후보 퇴출 따위의 심판론은 힘을 얻지 못했다. 따라서 현재 야권 연대의 고리인 '반MB'만으로는 2012년 대선 승리를 도모하기 어렵다는 계산이 가능하다.

진보진영은 어떤 논리를 세워야 할까. 이정희 대표의 주장은 똑떨어진다. '보편적 복지국가론'이다. 대한민국에 살고 있는 것만으로도, 이곳에서 숨 쉬는 것만으로도 혜택을 입는 구조의 완성이다. 그러고 보면 무상급식은 보편적 복지의 출발이 아닐 수 없다. 현재 진보진영에서는 월 11,000원만 더 내면 건강보험 보장성을 100퍼센트로 확대하는 방안이 모색되고 있다. 고무적인 현상이다.

"복지는 경제사회적 권리입니다. 이게 마치 시혜인 것처럼 학술적으로 통설화되고 결국 개념화됐는데, 잘못된 것입니다. 보편적 복지가 실현되는 공동체 사회를 만들어야 합니다. 노무현 정부 시절에 그 단초가 형성됐지요. 그러나 한계도 있었습니다. 규제 완화라는 당근으로 민간에게 떠맡긴 것이지요. 이런 방식으로는 한계가 있습니다. 국가가 주도해야 합니다. 그러려면 세금을 늘려야겠지요. 종합부동산세처럼 헌법재판소의 시비를 받지 않을, 국민의 이해와 동의가 전제된 조세의 지지대를 구축해야 합니다."

✻ 야당을 한데 묶는 힘, 시민사회에 있다

이정희 대표는 그래서 야권의 정책적 공통분모 찾기와 시민사회와의 구심점 역할을 강조한다.

"그동안 야당 사이에 가교 역할을 해준 곳은 시민사회입니다. 민주노동당 혼자 할 수 있는 일이 아니었습니다. 게다가 중앙의 연대가 결렬돼도 지방 차원의 연대가 이뤄질 수 있었던 것도 시민사회의 의지와 열정 덕이었습니다. 민주노동당이 지향하는 바는 시민사회와 함께 하는 주민자치 참여입니다. 주민 참여 예산제를 정착시키려는 의지를 그래서 앞세우려 하는 것입니다. 지금은 지방자치차원에서 협력하지만, 2012년 이후에는 국가 차원의 협치를 만들고 싶습니다. 각각 현안에서 야당을 묶는 힘, 당리당략에 따라 야당이 이탈하지 못하도록 하는 것, 야당이 자기이해에 따라 포기하지 않게 하는 힘은 시민사회에 있습니다. 함께 뜻을 모아주십시오."

_〈월간 참여사회〉 2010년 8월호 '김용민이 만난 사람'

4.27재보선 직후 이정희에 대한 인터넷 정치비평 사이트 〈서프라이즈〉에 올라온 인물평을 일부 옮겨본다.

"얼굴도 예쁘고, 마음도 예쁩니다. 하지만 민주주의가 위협받을 때는 그 어떤 정치인보다 단호합니다. 2008년 8월 기륭전자 문제 해결을 위해 단식농성에 들어간 것을 잘 알고 있습니다. 당시 이정희 의원은 "제 또래 30, 40대 여성들이 아이 학원값이라도 벌겠다고 나서는 비정규직 여성노동이 이렇게 참혹한지

미처 몰랐다. 벌금만 내면 끝인 파견법 아래서 비정규직 노동자는 일회용품일 뿐"이라고 가슴 아파하면서 11일 동안이나 단식을 했습니다.

지난 2009년 5월 노무현 대통령이 서거했을 때도 "노무현 전 대통령마저 벼랑 끝으로 몰고 간 이명박 정부의 강압 아래 누가 살아남을 수 있을지 모르겠다"면서 "들끓는 민심에도 귀를 막고 시민들을 범죄자로 대하며 일체의 반성도, 사과도 없는 이명박 대통령의 독선에 숨이 막힌다"며 단식농성에 돌입하기도 했다.

2008년 촛불집회 때 닭장차에 감금된 모습은 아직도 생생합니다. 이처럼 그는 얼굴 생김새와 마음은 한없이 예쁘고 따뜻하지만, 민주주의가 유린당할 때는 어느 누구보다 강하게 저항했습니다. 그 저항은 폭력성을 띤 것이 아니라 온화한 저항이었습니다. 물이 거대한 바위를 뚫듯이 반민주세력은 온화한 진짜 진보 이정희에게 다들 무릎을 꿇게 됩니다. 바로 이것이 '나 착함' 온화한 진짜 진보 이정희의 힘입니다.

그 힘이 이번 재보선에서 드러났습니다. 민주노동당은 전남 순천과 울산동구청에서 야권단일후보로 나와 승리했습니다. 울산 동구는 정몽준 한나라당 의원의 아성입니다. 이곳에 진보 청장이 탄생한 것입니다.

우리는 여기서 이정희 대표의 정치력을 볼 수 있습니다. 생김새와 마음은 온화하고, 민주주의를 위한 희생은 일절 양보가 없고, 야권 단일화를 위한 정치력은 탁월합니다. 우리나라에서 이만한 정치인은 찾아보기 힘듭니다. 이 시대 진보가 나아가야 할 모든 것을 갖추었습니다.

이정희는 그 동안 진보는 '폭력적'이라는 인식을 변화시키고 있습니다. 그렇다고 그가 민주주의가 위협받을 저항을 포기하거나, 서민과 노동자들의 질곡을 외면하는 것은 절대 아닙니다. 오히려 더 가열찬 투쟁을 하고 있습니다.

하지만 사람들은 그가 투쟁만 하는 진보 정치인으로 인식하는 것이 아니라 누나와 이모, 고모같은 따뜻함을 가진, 나를 진정 위해 주는 정치인으로 기억하고 있습니다. 그가 가진 강점입니다. 2012년은 아닐지라도 2017년이 기대되는 이유입니다.

'나 착함'과 온화한 진짜 진보 이정희가 대한민국에서 큰일을 해주기를 간절히 바라고 기대합니다."

_〈서프라이즈〉 필명:耽讀

III

조국은 누구인가

"대중은 유능한 정부를 원하고, 진보는 무능하지 않다."

조국和國은 1965년생으로, 부산에서 태어나 서울대 법대와 대학원을 졸업하고 미국 버클리대에서 법학박사 학위를 받았다. 울산대와 동국대를 거쳐 2002년부터 서울대 법학부 교수로 자리(현 법학전문대학원 교수)를 옮겨 오늘에 이르고 있다.

순탄한 엘리트의 길은 아니었다. 1993년 남한사회주의노동자동맹, 이른바 사노맹 사건에 연루돼 국가보안법 위반 혐의로 실형을 선고받고 5개월 넘는 옥고를 치렀다. 단순 가담자가 아니었다.

사노맹의 원류를 짚어보자. 사노맹의 뿌리는 1980년 5.18광주민주화운동으로 거슬러 올라간다. 전두환 신군부의 시민 학살은 미국의 방조 없이는 불가능했다. 결국 독재정권과 이 독재정권을 뒷받침하는 미국이 강고하게 자리하는 남한체제는 그 자체로 반민주, 반민중적이라고 판단한 이들이 '새로운 헌법 속 새 체제를 세워야 한다'는 판단 아래 제헌의회파를 구성한다. 이른바 'CA'다. 불온 발칙한 정도가 아니라 체제전복을 노린 내란집단으로 여길 만도 했다. 이들은 1990년대 초까지 뿌리를 이어온다. 시인 박노해, 서울대 총학생회장 출신 백태웅도 멤버였다.

조국이 붙잡힌 때는 1993년으로, 울산대에 속해 있을 때였다. 당시 사노맹은 사법부를 민주국가를 떠받치는 3권 분립의 한 요소가 아니라 (국가)독점자본의 주구로 인식했기에 재판 자체에 대한 거부는 물론 구호와 소란, 일부 방청객의 호응으로 재판정을 아비규환 상태로 만들었다. "아니다"라고 말할 수 있었던 시대 또한 아니었다. 조국도 "조직 내에서의 위치와 활동을 고려할 때 재판만 차분히 받으면 집행유예로 석방될 수 있다"는 변호사의 제안을 묵살하고 재판투쟁을 이어가다가 감옥살이를 택했다.

이 사건은 조국이 국제사면위원회로부터 '양심수'라는 표창을 얻은 배경이 됐다. 아울러 옳은 일에 대해 용기를 굽히지 않는 '개념인'의 인상도 남겼다. 두 번의 '민주 정권'을 거치는 와중에 조국은 현재 서울대학교의 교수로 변신해 있다. 체제 부정의 과거는 지난날의 기록일 뿐이다.

법학자 조국을 만든 배경에는 한 인물이 있다고 한다. 부산 혜광고와 서울대 후배인 고 박종철이다. 그렇다. 참고인 자격으로 끌려가 고문 끝에 죽임을 당한 1987년 6월 항쟁의 상징인 열사다. 조국이 여태 진보진영의 사회적 활동에 적극 참여해온 이유이기도 하다. 참여연대 사법감시센터 소장과 운영위원회 부위원장, 민주화운동 관련자 명예회복 및 보상심의위원회 자문위원, 국가인권위원회 비상임위원이 대표적인 활동이다.

조국을 떠올리면 운동권 출신 못지않게 수려한 외모가 항상 강점으로 꼽힌다. 이것을 '상품성'으로까지 표현하는 언론도 있다.

"사실 외모가 콤플렉스다. 대학 때 여학생들에게 많이 시달렸다. '아차' 하다가 제비 소리 들을까 봐 여성에 경계심을 가지고 산다. 외모로 먹고 사는 직업이 아닌데…. 학문으로 평가받고 싶다."

그러나 강점은 강점이다. 2009년 삼성경제연구소가 작성한 정세분석 관련 비공개 보고서를 보면 인물 부재에 시달리는 민주당에 새로운 바람을 불어넣을 대안 인물로 조국을 꼽은 내용이 있었다고 한다. 안철수연구소의 이사회의장 안철수, '시골의사' 박경철,

변호사 송호창과 함께 말이다. 그러다 〈오마이뉴스〉 대표 오연호가 그와의 대화록인 『진보집권플랜』을 내면서 대중은 그와 현실정치가 어울리는 조합인지 저울질하고 있다.

[1] 조국을 만나기에 앞서
– 강남좌파 논란에 대해

최근 정치권과 사회운동 진영에서 부쩍 자주 쓰이는 용어가 '강남좌파'다. 소득수준은 높으면서 진보적 가치를 지향하는 이들을 일컫는다. 아이콘이 있다. 바로 조국이다. 그는 "나를 강남좌파로 불러도 좋다. 우리 사회가 더 좋아지려면 강남좌파가 많아져야 한다"고 말하기도 했다.

전북대 교수 강준만(신문방송학)은 2011년 7월 『강남좌파』를 내놓았다. 이미 〈인물과 사상〉 2006년 5월호에다 "생각은 좌파적이지만 생활 수준은 강남 사람 못지않은 이들"이라고 정의한 바 있었다. 좋은 뜻이 아니다. 강남좌파는 또 다른 엘리트주의일 뿐이며 극복해야 할 일종의 허위의식이라는 설명이다. 조국에 대해서도 평가했다. "강남좌파 이미지만으로는 정치인에 대한 불신과 혐오의 벽을 뚫을 수 없다"며 "기존 학벌주의의 혜택을 누리고 그걸 바꿀 뜻이 없으면서 외치는 좌파의 비전, 그것이 바로 강남좌파의 한계다"라고 단언했다.

강준만은 그러면서 현재 한국의 모든 정치인들이 실은 강남좌파로 분류될 수 있다고 주장했다. 내용은 이렇다. 정치 엘리트가 되기 위해선 학벌은 물론 생활수준까지 강남 수준일 수밖에 없다는 것이다. 또 우파 정치인이어도 정치적 목적을 위해 포퓰리즘적인 자세를 취하기 때문에 기회주의적 좌파가 될 수밖에 없다는 설명이다. 따라서 강남좌파라는 말에서 방점이 찍히는 부분은 '좌파'가 아니라 '강남'이어야 하며, 이런 이유로 강남좌파의 문제는 이념이 아니라 엘리트 문제로 비판적 접근을 해야 한다는 것이다.

조국은 반박했다. "강남엔 모두 우파만 있고 좌파는 모두 지방과 강북에만 있어야 하느냐"며 "중요한 것은 지역을 떠나 모든 좌파의 연대"라고 지적한 것이다. 이어 "비아냥 섞인 강남좌파보다는 문화 좌파라는 말이 더 맞다"며 "지식인과 중산층 이상이더라도 하층을 지향하는 문화 좌파는 역사적으로 항상 존재해왔으며 그 역할이 있다"고 비평했다.

대한민국 좌파가 외연을 넓힌 것일까. 부자하면 무조건 보수로 통용되던 시대에 변화가 깃들기 시작한 것일까. 그렇다면 이들이 이념 갈등과 충돌을 막아줄 사상의 완충지대 역할을 해 줄까. 혹은 새로운 이념 갈등의 진원지가 될 것인가. 논점은 이렇게 다양하다.

강남좌파는 보수 진영이 운동권 출신 486세대 그러니까 40대면서, 80년대 학번이고, 60년대생인 진보 인사들을 꼬집어 쓰던 용어다. 정치적·이념적으론 좌파지만 행동은 '강남 주민스럽다'는, 일견 부정적 뉘앙스를 풍기는 말이다. 쉽게 이야기해 과거에 좌파하면 거리의 투사로 인식됐는데 이제는 문화와 멋을 아는 진보세력을 지칭한다.

지난해 지방선거 직전 공개된 당시 서울시장 후보 노회찬의 첼로 연주 사진은 강남좌파 이미지를 대중에 인식시키는데 일조했다. 노회찬은 이 사진을 표지에 담으면서 "모든 국민이 악기 하나쯤은 연주할 수 있는 나라"가 자신의 꿈 가운데 하나라고 밝혔다. 조국 역시 "아무리 가난한 집안에 태어났어도 소질만 있다면 아마추어 첼리스트가 될 수 있는 사회는 한낱 꿈이 아니어야 한다"고 설파했다.

그러나 강남과 좌파는 섞이기엔 너무나 이질적 주체다. 특혜와 기득권의 결정체기 때문이다. 유신정권 말기인 1975년부터 1980년까지 서울 땅값은 5년 새 여섯 배가 올랐다. 5공화국 시절 수립된 신도시 공급 계획은 강남의 거품을 온 나라로 확산시켰다. 1987년 대선 당시 정부 여당이 뿌린 엄청난 자금도 곧바로 부동산 시장으로 직행했다. 강남이 개발과 성장과 보수와 독점과 독재와 시장주의로 상징되는 한국 보수의 가치를 대변하게 된 건 그때부터였다. 전두환 노태우 두 사람은 강남에 보수의 터를 닦았다. 그리고 강남은 영남에 이어 보수특구가 돼 버렸다. 강준만 주장은 이곳에서 태어나 자란 이들이 한국 사회 특권층의 젖을 먹은 과거에 대해 맹성을 하지 않는 이상, 기득권의 수혜자이며 계승자가 될 것이라고 규정한 것이다. 위선과 허위 그 이상도 그 이하도 아니라는 질타다.

'강남좌파'의 원류격인 부유층 진보주의자에 대한 별명이 진보주의 전통이 깊은 서구에서는 많다. '우리가 따뜻한 응접실에서 샴페인 잔을 부딪히며 사회주의에 관한 잡담을 할 때, 바깥에서 추위와 배고픔에 죽어가는 건 가난한 사람들'이라고 쓴 19세기 러시아 철학자 알렉산드르 게르첸의 글에서 유래한 '샴페인 사회주의자' 또는 '살롱 좌파'라는 말. 부자 좌파를 '리무진 리버럴'이라고 부르는 미국의 사례. 철갑상어알을 먹으며 사회주의를 논한다는 의미로 부자 좌파들을 '고슈 카비아' 즉 캐비어좌파라고 부르는 프랑스의 표현. 대체로 격하, 조롱하는 뉘앙스다.

그러나 조국은 강남좌파 현상을 이렇게 풀이한다. "부유층의 진보 영토가 넓어지는 현상은 보수 정치권이 부유층의 눈높이를 따라잡지 못했기 때문"이라고 말했다. "능력없는 보수 정치에 실망하고 특정 계층만 대변하는 현 정부에 낙담한 식견 높은 젊은 부유층이 극심한 사회 양극화에 대한 일종의 계급적 자책을 느끼며 점차 진보적 색채를 강하게 띠어가고 있다"는 것이다.

이와 관련한 〈포춘코리아〉 기자 신기주의 〈시사IN〉 기고 기사가 눈길을 끈다. 신기주는 강남좌파가 소비의 욕망을 즐기면서도 소비의 쾌락은 경멸한다고 설명한다. 투자자의 영악함은 지녔는데 투자자의 탐욕을 규제해야 한다고 주장한다는 해석도 덧붙였다. 물신의 노예지만 물신을 숭배하지는 않는다는 정서에도 주목한다. 신기주는 강남 속 서민이 강남좌파의 실체라는 주장도 소개했다. 국민의 정부와 참여정부가 강남 아파트 재개발을 꽁꽁 묶어버린 탓에 강남에는 틈새 원룸과 빌라만 늘어났으며, 여기로 강남 이민자들이 흘러들어 새로운 여론층을 형성하게 됐다는 주장이다.

강남좌파, 이들이 정치적으로 의미 있는 결집력을 보이고 있을까. 이와 관련해 〈한국일보〉는 2011년 2월 25일자에서 강남 지역에서 진보 정당에 대한 지지율이 꾸준한 상승세를 보이고 있다고 소개했다. 일례로 서울 강남을 지역구의 경우, 2007년 대선 당시 권영길 민주노동당 후보 득표율은 1.3%에 불과했다. 하지만 이듬해 18대 총선에서는 민주노동당과 진보신당 후보의 득표율이 10.1%로 자유선진당 후보 득표율 7.4%를 앞질렀다. 점증추세의 강남좌파, 아직은 진보정당 간판으로 강남은 물론 서울에서 국회의원 당선자를 내놓지 못하고 있다. 내년에는 성공 또는 의미있는 실적을 나타낼 수 있을지 관심이다.

강남좌파 현상이 일시적인 것인지 아니면 사회적 약자에 대한 깊은 공감을 형성하며 자기 희생의 의지를 담보하고 있는지는 내년 선거가 중요한 시금석이 될 것으로 판단된다.

[2] 조국을 만났다

"성함이 강렬한 두 분이 있습니다. 서민 단국대 의대 교수 그리고 조국 교수입니다."

답은 이랬다. "중고등학교 다닐 때 학기 초 발표는 모두 저의 몫이었지요. 선생님이 제 이름을 우선 인지하셨거든요. 그때 터득했지요. 나는 운명적으로 가장 먼저 호출 받게 돼 있다고. 심리적 강박 비슷했지요."(웃음)

이때 나는 "조국祖國이 호출하면 어떻게 하겠나"라고 되물었다. 그러자 조국 교수는 "그걸 그렇게 해석하다니…"하며 웃었다.

이 내용을 우선 트위터에 올렸다. 그랬더니 '조국 시리즈'가 줄지어 탄생했다. 이런 것이다. △조국 교수와 서먹서먹해지면 : 조국과 등진 사람 △조국 교수에게 뒤통수를 치면 : 조국을 배반한 사람 △조국 교수의 전담 펀드매니저 : 조국의 번영을 위해 애쓴 사람 이런 식이었다.

조국 교수가 새롭게 이목을 끌고 있는 것은 진보가 정권을 다시 가져오는 날, 그날 이후 나라의 청사진을 제시했기에 그렇다.(물론 집권을 위한 전략도 포함돼 있다.) 이명박 대통령 시대의 '기막힌 현실'을 탄식하면서 모두가 원성해마지 않을 때 그는 "집권 준비를 해야 한다"고 강조했다. 진보가 이끄는 나라, 그 미래를 구체적으로 짚어봤다.

❋ 냉전의 남북관계, 공동운명체로 풀자

우선 현안으로 떠오른 대북관계. 그가 연평도 사건 이후 페이스 북에 올린 글이다.

'북한은 사과하지 않는다. 남한은 북한 규탄에 몰입한다. 미국은 중국에게 대북 압력을 넣으라고 말한다. 중국과 러시아는 '양비론' 과 자제를 강조한다. 똑같은 시나리오. 군사적 문제해결을 추구하는 북한을 견인하고 변화시킬 남측의 '지렛대'가 사라진 것이 안타 깝다. 남북한 비상대화채널 마저 끊어진 상황이다. 대북 보복, 개성 공단 철수, 북한 자체붕괴 대기와 흡수통일 등이 대북정책이 될 수 있을까?'

이보다 앞서 그와 인터뷰한 내용에는 이번 사건에도 빠짐없이 관통할 논리를 설파했다.

"북한에도 맹동주의와 모험주의로 움직이는 강경 호전세력이 분명히 있다고 생각합니다. 그러나 이명박 정권의 대응방식에는 동의하기 어려워요. 남북관계를 완전히 냉전시기로 돌리려 하고 있거든요. 하지만 이명박 정권도 결국은 천안함 사건으로 얼어붙은 한반도 정세를 녹이는 방향으로 나갈 수밖에 없을 것이라고 봅니다."

대북 강경정책은 실은 대북용이 아니라 대남용이다. 얄팍한 지지층의 MB가 기댈 거의 유일한 지지대는 보수층인데, 이들마저 이반한다면 고립무원 상태가 된다. 그래서 남북관계가 어떻게 망가지건 간에 보수층의 이반을 막기 위한 가장 확실한 대비책은 '멸공 레토릭'이다.

이래놓고는 북한이 도발할 상황을 전혀 대비하지 않았다. '설마

저들이 준동하라'하는 심산이었을 것이다. 따라서 MB도 햇볕정책의 열매인 '상식이 된 평화'가 내면화된 경우이다. 그렇다. 그게 답이다. 그러나 그 답을 의도적으로 회피하는 MB는 현재 길을 잃은 상태이다.

"6·15, 10·4선언으로 돌아가는 것 말고 답이 없습니다. 전쟁 위기를 막을 가장 확실한 방법은 금강산 관광, 개성공단 가동 등 남과 북이 서로를 필요로 하는 구조를 다양하게 만드는 것입니다. 표면적으로는 북한체제를 유지하는 데 도와주는 것 같습니다. 그러나 개성공단이, 금강산 관광 공간이 하나 둘 생기면 북한군의 퇴각을 부르는 것입니다. 주고받는 게 많으면 남북은 공동운명체가 됩니다. 이러면 서로에게 상처를 입힐 수 있을까요?"

✱ 경쟁중독 사회, '최소한'의 원리는 있어야

'상생'이 답이라는 이야기다. 2004년 탄핵이 불발로 그치고 열린우리당의 과반의석 확보, 노무현 대통령의 현업 복구가 이어지자 한나라당과 조중동이 한 목소리로 "이제는 상생이다"라고 한 목소리를 내걸었다. 이때 보편 언어가 돼 버린 상생. 그러나 이 상생은 보수정당이 집권하자마자 산산조각 났다. 경쟁이라는 예기銳器로 말이다. 상생과 경쟁은 종성終聲에 모두 'ㅇ'이 들어가는 것 말고는 공통점을 찾기 힘들다.

"경쟁 없는 사회는 존재하지가 않지요. 한국 사회의 경쟁에서 문제는 사람을 잡는다는 데 있습니다. 더 큰 문제는 그 경쟁이 공정한 원칙 속에서 이뤄지는 게 아닌 것이고, 그보다 더 큰 문제는 태어나서 죽을 때까지 경쟁의 연속이라는 점이지요. 경쟁중독을 막기 위한 제도적 조치가 필요합니다. '최소한'의 원리가 있어야 하지요. 이는 경쟁에서 도태된 이들도 인간으로서 품위를 유지하며 살 수 있는 '최소한'을 말합니다. 구직, 실직, 노동력 상실, 불안한 고용 상황에서도 사회구성원을 지지해줄 안전망이 있어야 합니다."

이 정도면 탈경쟁 본위 사회를 향한 대안 중 '보완책'에 불과하다. 민중은 다람쥐 쳇바퀴에서 헤어 나오게 해줄 모세의 지도력을 찾고 있다.

"사실 우리 사회에는 아이건, 어른이건 '노는 권리'가 필요합니다. 러셀은 '게으름에 대한 찬양'이 필요하다고 말합니다. OECD 소속 국가 중 노동시간 1위를 기록하고 있으면서도 죽어라 일하는 것이 미덕인 것처럼 돼 있잖아요."

강만수 전 대통령 경제특보 겸 국가경쟁력강화위원장은 "일본의 잃어버린 10년은 노동 시간 단축에 있었다"며 "우리나라의 노동 시간이 줄어드는 것에 대해 많은 우려를 하고 있다"고 말한 바 있다. 나는 관련 기사에 이런 트위터 댓글을 달았다. '만수씨, 일자리부터 만드세요'라고.

✱ 재벌 세습경영, 노조 인정과 경영의 투명화로

'죽어라 일하라'라는 구호가 학교에서는 '죽어라 공부하라'로 치환될 수 있다. 교육 당국자들은 그 덕에 경제협력개발기구OECD가 3년 단위로 치르는 학업성취도 국제비교연구PISA에서 최근 우리가 2위에 오를 수 있었다고 입 모아 말한다. 그러나 학업 스트레스가 전무하다시피 한 나라, 핀란드가 세 번 연속 1위를 차지했다면 그걸 어떻게 봐야 할까. 우리의 2등에 잿빛이 드리워진다. 사실 국가가 나서서 경쟁을 없앨 수는 없지만, 낙오자를 끌어안아주는 역할은 할 수 있다. 그러나 MB 정부는 도저히 실적을 계량화할 수 없는 교육 분야에까지 경쟁의 원리를 억지로 도입했다. '성적 얼마 올리지 않을 경우 무능 교사가 되는 구조'가 그렇다. 물론 그들이 사전적 의미의 경쟁을 도입했느냐 하면 그렇지도 않다.

특권층 자녀의 특혜 취업이 상징적이다. 잣대도 이중적이다. 국가 특히 군사적 권력의 이양을 상징하는 북한의 3대 세습은 희대의 코미디라고 비난하면서도 삼성의 3대 세습에는 '희망'을 덧칠한다.(이재용을 스티브 잡스에 비유하는 언론도 있었다.) 게다가 이런 보도를 하는 보수언론의 3대 거두는 최대 4대 완성, 최소 3대 세습 시도 의혹을 자아내고 있다. 조국 교수는 '경영' 문제에 관한 '세습 비판'에 대해 이견을 갖고 있다. 부정할 수 없다는 것이다. 일전에 유시민 국민참여당 참여정책연구원장도 "국가권력의 세습과 기업의 상속은 좀 다릅니다. 기업은 사적 권력입니다"라고 했다.

"가족기업 자체는 인정할 수 있어요. 과거에 진보개혁진영에서는 '재벌 해체'를 주장했었죠. 그러나 해체된 기업을 어떻게 만들 것인지. 이를테면 국영기업으로 만든다던지, 노동자가 인수해 운영한다던지, 그렇다면 그 재원은 어디서 조달할 것인지에 대한 대안을 만들지 못했어요. 스웨덴의 발렌베리 그룹을 보죠. 6대째 약 150년 동안 세습 경영을 했지요. 하지만 이 기업은 불법 경영이나 불법 상속이 없어요. 대기업과 노조가 '노동조합 인정 및 경영 참여'라는 카드로 빅딜을 한 거지요. 노조의 경영 참여는 '산업 민주주의'의 기본입니다. 현 재벌의 경우 총수와 그 가족의 이해관계가 얽혀 있는 사항에 대해서는 투명한 결정이 이뤄지지 않고, 결정의 결과에 총수가 책임을 지지 않는 구조예요. 권한만 있고 책임을 지지 않는 구조는 오래가지 못합니다. 경영의 투명화가 필요합니다."

❊ 진보의 욕망, 이념 아닌 '삶의 문제'로 새롭게 설정하라

'재벌은 나쁘다.'

진보개혁진영의 시각은 선명하다. 그래서 단순하다. 그러나 재벌 체제는 온존한다. 선험적 지식으로 재벌체제의 문제점을 터득했을 젊은이들은 여전히 꾸역꾸역 대기업 공채에 몰려든다. 이념과 욕망이 멀어질 때 진보개혁진영은 위기를 만났다. 조국 교수는 "진보의 욕망을 디자인하라"고 언급한다.

"욕망을 부정하는 게 아니라 공정, 평등, 연대 등의 진보적 가치에 따라 욕망의 내용과 방향을 재설정해야 합니다."

어려운 말이다. 제주대 이상이 교수의 표현을 빌렸다.

"김대중, 노무현 정부는 '복지국가' 전략이 아닌 '복지 확대' 전략을 취했습니다. 복지를 여전히 '시혜적 복지', '잔여적 복지'로 파악하고 있었던 것이지요."

사회적 기본소득, 모든 아동에게 보편적으로 제공하는 아동수당, 실업과 육아 등으로 인한 소득손실을 보전해주는 고용보험과 실업 수당, 질병으로 인한 소득손실을 보전해주는 상병급여, 노후의 소득을 보장해주는 국민연금 등은 혜택이 제한적이거나 실현되지 못했다. 이런 정책, 실현도 못했다. 진보진영 안에서 이명박 정부의 시혜 본위 복지정책을 비판하지만, 실은 그 원조가 지난 10년의 민주정부였음을 부인할 수 없다. 게다가 전략의 부재도 문제였다. 무엇을 우선에 둬야 하는지, 그리고 어떻게든 되돌릴 수 없도록 '말

뚝'을 박을 것인지 효율성 및 지속성에 대한 사려도 얕았다.

"대중은 언제나 유능한 정부를 원합니다. 진보는 무능하지 않고요. 교육이건, 일자리건, 의료건 내가 세금을 내면 반드시 나와 내 자녀에게 혜택으로 돌아온다는 것을 보여줘야 합니다. 김대중, 노무현 정부 기간 동안 정치적 민주주의의 맛, 평화공존의 맛을 보고 나니 이명박 정부 출범 이후 그 수준이 떨어지자 당장 짜증이 나잖아요. 진보가 사회경제적 민주주의의 진한 맛을 비전으로 보여주고 실현에 옮기면 집권 기간도 길어질뿐더러 사회구조적 혁신을 기할 수 있을 것입니다."

'진한 맛'은 무엇일까. 조국 교수는 '무상급식'을 예로 들었다.

"무상급식 공약이 나왔을 때에 기존 진보개혁진영에서조차 반대했습니다. 이명박 대통령 비판으로는 대안이 될 수 없어요. 대중의 요구는 복합적입니다. 표현의 자유가 박해당하는 현실을 직시합니다. 그러나 일상의 문제를 해결해주기를 바라지요. 그걸 김상곤(경기도교육감)에게서 발견했던 것입니다. 보수언론은 그 폭발력을 알고 '김상곤 짓밟기'에 가세했습니다. 그때까지도 민주당은 논쟁에 끼어들지 않았어요. 기존 진보개혁진영이 교육감 한 사람의 상상력에도 못 미쳤다는 이야기입니다."

답답한 현실이다. 지난 총선 때 여당의 뉴타운 공약 같은 '몸에 안 좋은 진한 맛' 때문에 고배를 마신 진보개혁진영 아닌가. 조국 교수는 무상급식이 사람의 이익에 초점이 맞춰진 점에 주목했다. 그래서 물었다. '무상급식 시즌2'는 무엇이 될까 하고.

"보육, 교육, 취업, 주택, 노후 이게 인간의 욕망체계와 깊은 연관성이 있어요. 아주 선명한 대안이 필요합니다. '건강보험 하나로 모든 질병을 치유 받을 수 있다'는 대안이 좋은 예겠지요. 정당에 있는 친구들에게 2012년 총선 전 시점에 대여섯 개 정도 패키지 비전, 즉 '진보의 종합선물세트'를 보여줘야 한다고 이야기했습니다."

지금까지 민주개혁진영은 밥보다 민주주의가 좋다고 이야기했다. 그러나 그건 군사정권 시절에서는 통하는 말. 민주주의 정착 시기에는 민주주의가 밥이 된다는 설명이다.

✱ 인권은 보수 진보가 정치색 없이 만나는 공공 영역

진보의 특산품은 '인권'이다. 조국 교수는 2010년 말 국가인권위원회의 표류를 걱정하며 위원직을 내놓았다. 현 정부의 인권 정책, 아니 인권 무정책에 낙제점을 준 것이다. 언론지상에서 볼 수 없었던 이야기도 토로했다.

"현병철 위원장은 인권 전문가가 아닙니다. 취임 첫날에 '자신은 인권에 대해 아는 게 없다'고 말하기까지 했어요. 이 말은 배우며 일하겠다는 선의로 해석할 수도 있지요. 하지만 위원장 권한을 극대화하려는 태도를 보이더라고요. 이어 기존 위원의 사퇴를 유도하는 겁니다. 제가 물었어요. '지금 상임위원 임기가 곧 만료되는데, 그것도 못 기다립니까? 정권 입맛에 맞는 위원들이면 그때엔 다시 권한을 나눠줄 요량입니까'라고요. 아무 말을 못하더군요."

인권도 MB 손을 통하면 전혀 새로운 의미가 된다. 친정부 성향의 한 비상임위원이 회의 중 "취업자 연령 제한, 이대로 둬야 합니다. 청년들이 직장을 못 구해 인권 침해를 당하고 있어요"라고 한 말은 유명하다. 조국 교수는 인권위의 '탈 당파'를 강조한다.

"인권위원회는 중간지대, 공유지여야 합니다. 진보나 보수의 독점적 영역이 돼서는 안 됩니다. 수시로 주인이 바뀌는 권력과는 달리 인권의 가치는 불변 영구적이어야 하거든요. 인권은 보수, 진보가 정치색 배제하고 대화할 수 있는 공공 영역이 돼야 합니다. 이마저도 정치 논리에 오염돼서는 안 됩니다."

시민단체의 앞날에 대해서도 물었다. '진보의 성찰', 만약 이것이 책으로 엮일 경우 시민단체편이 가장 많은 지면을 점하리라.
"참여연대는 순수 회원 중심 구조라 자생력이 있으니 논외로 하지요. 그러나 MB 정부 들어 시민사회단체에 선별적, 한시적으로 지원하는 공익사업 보조금 지원을 중지시켜 일부 시민단체가 어려움을 겪었습니다. 사실 정치권력과 시민단체의 관계설정이 간단치 않습니다. 야합하지 않고, 등지지도 않는 건강한 파트너나 견제자가 돼야 합니다. '우호적 권력'이 나오기보다는 '권력의 맹성'을 추동할 수 있는 시민단체의 도덕적, 정치적 역량을 키울 때입니다."

조국 교수에게 정말 궁금한 것 하나를 물었다. '큰 꿈'이 있느냐고. 답은 간단했다.
"제 발언이 나름 주목받고 있는 것은 제가 어느 편에도 서지 않기 때문입니다. 정치를 하려면 한 편에 서야지요. 그럴 생각 없습니다."
이 말을 아쉽게 받아들여야 할까, 아니면 새로운 기대를 부르는 표현으로 받아들여야 할까. 독자의 몫이다.
_〈월간 참여사회〉 2010년 12월호 '김용민이 만난 사람'

* 인터뷰 내용 중에는 『진보집권플랜』(오마이북)에서의 발언도 일부 포함돼 있다.

[3] 조국의 강점, 기회

미국은 부러운 나라가 아니다. 사회학자 고 리영희의 진단대로 한 번도 순수 사회주의를 해 본 적이 없어서 자본주의 폐단으로 점철됐기에 그렇다. 다만 민주주의의 수준만은 주목하게 된다. 미국 언론은 대선 때만 되면 특정 대선 후보에 대한 지지를 공개적으로 밝힌다. 지난 대선에서는 〈워싱턴포스트〉, 〈시카고트리뷴〉, 〈로스앤젤레스타임스〉 등 124개 일간신문이 오바마 지지를 선언한 바 있다. 신문의 논조에 대중이 흔들리지 않기에 터부시 되지 않는 현상이다. 한국과 대조된다. 지지하는 후보 또는 반대하는 후보가 있음에도 밝히지 않는 관행을 보면. 전가의 보도처럼 쓰는 명분은 언론의 공정성이다. 언론의 편향 보도가 여론을 왜곡시킬 수 있다는 이야기다. 흥미로운 것은 '누구를 지지하라', '말라'하는 암시는 한다. 솔직하지 않다.

'조국 현상'은 우선, 법학자 조국이 정치인으로서 적절한지 대중이 시험대 위에 올린 일대 사건이다. 과거에 정치는 생산자 중심이었다. 태어난 곳, 유력인과의 친화성 여부로 무대에 섰다. '지역정치', '보스정치', '측근정치'가 맹위를 떨치던 때의 일이다. 그러다 매스미디어가 발달하고 금권선거가 힘을 잃자 명망성 또는 (특별당비라고 쓰고 공천헌금으로 읽는) 재력이 정계입문의 요건이 됐다. '영입 경쟁'이란 말이 등장할 때의 일이다. 얼굴마담이 필요했던 정치권의 인물 영입은 이런 틀 속에서 콘텐츠가 있느냐, 없느냐는 중요하지 않았다. 소비자는 북한 선거마냥 O 또는 X만 강요받았다. 이런 와중에 조국은 소비자가 주목한 몇 안 되는 정치 재목 가운데 하나다. 뒤늦게 정치권은 조국에게 손을 뻗친다. 그러나 조국은 들은 척도 않는다. '몸값 높이기' 술수라는 비아냥도 있는 모양이다. 그러나 이미 조국의 몸값은 높다. 조국의 명망은 TV, 라디오 등 구 미디어가 아닌 인터넷, 특히 사회관계망을 통해 확대돼 간다.

두 번째, 대안 부재 상황이다. 김대중, 노무현 시대와 함께 보스 및 지역정치는 종지부를 찍은 듯 했다. 노무현은 자신을 '구시대의 막차'라며 민주정부의 연착륙을 자신했다. 그러나 보수진영은 진보진영의 정치과잉 및 서민후생정책의 난맥상을 틈타 환상에 다름 아닌 압축성장식 번영 청사진을 제시하며 집권한다. 이명박, 박근혜의 2007년 빅매치는 한나라당의 두 유력 카드를 부상케 함으로써 10년 집권의 기틀을 구축하는 밑바탕이 됐다. 이명박의 숱한 실정에도 불구하고 한나라당은 박근혜라는 차별화되고 새로운 카드에 희망을 걸며 짐짓 여유를 보이고 있다. 반면 야권은 손학규, 유시민, 정동영 등 2007년에 이미 패한 카드에서 희망 없는 도토리 키재기를 하고 있는 형국이다. 진보진영은 서서히 각성하기 시작했다. 차별점 찾기, 선명성 강조하기로 패당 짓기에 분분하며 정작 사람 키우기에 소홀했던 과오를 말이다. 기실 김대중, 노무현도 알아서 큰 것 아닌가. '물건'이다 판단하는 카드에 관심을 갖고, 조건부 지지를 표명하는 유연성을 나타내게 된 것이다. 조국의 등장은 이런 기틀에서 발생한 것이다.

세 번째, 세대교체 추세다. 버락 오바마 미국 대통령(취임 당시),

데이비드 캐머런 영국 총리, 줄리아 길러드 호주 총리, 드미트리 메드베데프 러시아 대통령은 모두 40대이다. 이들 세대는 이원론적 냉전 구도의 끝을 보면서 유연한 사고를 길렀다. 아울러 금융위기를 통해 적자생존의 논리에 함몰된 자본주의의 한계를 봤다. 한국은 독특하게도 이 40이라는 구분선이 매우 뚜렷하다. 당장 50대 이상과 40대 이하는 학력과 인구로 따졌을 때 확연히 구분된다. 잔뜩 뽑아 적게 졸업시키는 이른바 졸업정원제, 도입 직후 폐지되는 바람에 대학정원을 늘리는 결과를 가져와 1970년대까지 30퍼센트대에 불과하였던 대학진학률이 현 486세대가 대학을 진학하던 1980년대 이후에 50퍼센트로 폭증하고, 대학 수가 크게 늘면서 2000년대에는 80퍼센트대로 확대됐다. 이처럼 고등교육자가 크게 늘면서 정치의식도 신장됐다. 2011년 현재 유권자 비율만 봐도 50대 이상은 37.4퍼센트의 표를 갖고 있지만, 40대 이하는 62.6퍼센트를 확보하고 있다. 이명박 정권 들어 40대 이하 층의 투표 참여 열기가 고조되면서 중요 선거마다 여당 참패의 동력이 되고 있다. 주된 지지층이 50대 이상에 포진해 있는 현 여권이 정권을 내주게 된다면 이는 40대 이하 투표층의 선거혁명을 통해 실현될 것이라는 평가가 많다. 결국 40대 대통령론의 힘이 잔뜩 추동되는 것이라고 하겠다. 20~40대에 두루 신망과 지지를 받는 조국에겐 기회가 아닐 수 없다.

네 번째, 세련됨이다. 조국의 페이스북에는 장르를 불문한 음악 UCC가 자주 링크된다. 심포니 록 그룹 캔사스, 포크가수 피트 시거, 리듬앤블루스 가수 조 카커, 발라드 가수 이은미의 작품이 이 글을 쓸 시점에 올라왔다. 또 고향인 이유가 크겠으나 프로야구 롯데 자이언츠의 팬임을 자처한다. 법학자의 품격과 권위에 얽매이지 않는 모습이다. 이렇게 소셜네트워크서비스^{SNS}를 통해 대중과 소통하는 점만 보더라도 격의 없는 소통의 자세를 확인케 된다. '자본주의의 허위의식을 주입하여 결과적으로 자본주의 지배체제를 정당화하고 재생산하게 만든다'는 식의 아도르노식 대중문화에 대한 인식은 적어도 486세대의 틀에는 맞지 않다. 문화를 향유할 줄 아는 세대의 특성이 몸에 밴 것이라고 봐도 무리는 아니다. 많은 언론은 이를 조국의 세련됨으로 묘사한다. 일반 위정자에게서 찾기 힘든 감수성이라는 설명이다. 그의 수려한 외모와 맞물린 덕 또한 배제할 수 없을 것이다. 세련된 감성으로 진보의 외연을 넓힐 수 있다는 점에서 조국의 '스타일리시^{stylish}'는 빛난다. 사실 국민과의 정서적 공감대를 형성할 공간과 기회가 많아서 나쁠 것은 없다.

조국 현상은 새로움에 대한 갈망이다. 금권, 지역정서, 보스에 얽매이지 않은 원칙과 상식에 기반 한 정치를 요구한다. 좀 더 유려한 카드로서. 조국 현상이 정치적 실상으로서 재단됐을 때의 결론은 아직 나오지 않았다. 조국의 결단이 없었기 때문이다. 조국이 시대에 투신하지 않는다 하더라도 이런 대중의 열망과 기대치는 어떤 정치직 실체에 투영될 가능성이 높다.

[4] 조국의 약점, 위기

조국의 앞선 세대, 즉 50대 상당수는 베이비부머baby boomer라 하겠다. 이들은 조기 은퇴에 대해 상당한 우려를 품고 있다. 이런 이유로 젊은 정치 지도자의 출현에 대해 경계하는 것은 당연할 수 있다. 이들이 진보성향으로 변개變改하기란 쉽지 않다. 지지표로써 환대받지 않더라도 반대정서를 최소화할 수 있어야 한다. 다시 말해, 상대편의 '조국을 떨어뜨리겠다'는 노기怒氣를 잠재워야 한다는 것이다.

흔히 열렬한 지지자를 규합함으로써 세를 키워나가는 것이 정상적인 공식이다. 이른바 'X빠'가 필요하다는 것이다. 유시민은 기존 정치구조와는 결을 달리 하며 지지자만으로 세를 키워갔다. 유력 정치인의 그늘 아래서 후계자 학습을 하며 성장하는 길을 택하지 않고 인터넷이라는 새로운 이기利器로 '동지'를 만들어가는 새 길을 개척한 것이다. '유빠'의 생성은 이렇게 이뤄진다. 여기까지가 그런대로 명이다. 암은 무엇이냐. 좁아지는 외연이다. 상당수 지지자가 외연 확대에 기여하는 문이 아니라 폐쇄성을 가중시키는 벽이 되고 있다는 것이다. 유시민을 비판하면 동원할 수 있는 모든 모욕적인 표현으로 짓밟는다. 칼럼니스트 고종석도 그 경우다. (〈시사IN〉 칼럼에서 "이 지면에서 유시민씨를 '영남 패권주의자'라고 규정한 뒤, 사이버 공간에서 많은 비판을 받았다. 내 전자우편 주소까지 알아내는 수고를 마다하지 않고 메일로 나무란 분들도 있었다.

메일을 보낸 분들은 대개 예의를 갖추어 나를 비판했고, 그 밖의 사이버 공간에서는 날것 그대로의 욕설이 휘날렸다. 유시민씨 지지자들에게 겸손한 조언을 드린다면, 육두문자로 휘갈기는 비난은 삼가는 것이 좋겠다. 그런 욕설은 나를 전혀 아프게 하지 않을 뿐 아니라, 그 너절하고 상스러운 이미지가 고스란히 유시민씨에게 들러붙는다. 예의를 갖추고 내 견해를 비판한 분들은, 나를 설득하지는 못했지만, 내게 성찰의 계기를 주었다.") 질린 이들은 유시민 지지자는 물론 유시민에게까지 반감을 갖고 등 돌린다. 그리고 '유까'가된다. 이를 두고 일부 유시민 지지자는 '피해의식'의 소산으로 보는이도 있다. 낡고 부패한 정치인에게 유시민이 질시당하며 핍박 속에 놓였다는 것이다. 이 말이 타당하다면 유시민에 대한 지지는 평상적인 정치적 견해가 아니라 특출한 신앙으로 봐야 옳지 않을까. 나는 트위터에다 그들에 대해 '유시민도 답답해할 존재들'이라고 비판했다.

조국은 자신을 주목하는 이들과 '전략적 제휴 관계'를 설정해야옳다고 본다. 지지자에 둘러싸이기 싫은 정치인은 없을 것이나, 그것은 소인배되기에 딱 좋다. 이른바 '비지(비판적 지지)'의 지지기반이라면 행사하는 정치의 격이 높아질 것이라 기대한다.

조국은 스스로 '정치근육'에 대한 우려를 표명했다. 세 불리기와세 유지하기에 대한 강박이다. 팬클럽 정치는 본디 위험하다. 지지와 성원 속에 탄생한 참여정부였다. 하지만 진보개혁진영이 등 돌릴 수 있고, 때에 따라서 같은 야당인 한나라당과 손잡을 수 있다는 현실을 대통령 노무현은 감안하지 않았던 것 같다. 그는 내심 비판적 여론과 비우호적 언론 환경을 지나치게 의식했다. 퇴임 이후에도 말이다. 조국이 염두에 둬야 할 문제다. 결국 추구하는 가치로 우호적 지지층을 확대하는 것이 필요하다. 인간 조국이 아닌 조국의 가치로 정치근육을 키워야 한다는 말이다. 그 가치를 서서히 키워나가야 한다.

조국에 대한 '우려' 중에는 알게 모르게 엘리트주의에 대한 부분도 서려 있다. 엘리트주의의 외피는 빈틈없는 논리이며, 내면은 교조성이다. 참여정부가 정권 창출을 못한 배경에도 실은 이 논리와 교조성이 있었다. 실물경기는 바닥을 기는데, 권력층 인사들은 국민이 몰라서 혹은 보수언론 논리에 미혹돼서 민심이 부정적이라고 인식했던 것이다.(물론 이른바 '조중동'으로 통하는 수구 족벌신문의 편파 왜곡보도는 정당화할 여지가 없다. 이들의 참여정부에 대한 악의적 보도는 여러 차례에 걸쳐 법적 심판을 받았다. 그러나 역사적 심판은 미완 상태이다.) 그래서 토론회, 강연회, 정부 운영 매체 보도 등 온갖 형식의 반론을 통해 돌파구를 찾으려했다. 혹시 참여정부의 여러 해명 자료를 접해봤나. 편린만 붙잡아도 그 탄탄한 논리에 혀를 내두르게 된다. 훌륭하다.

그러나 민심은 부질없는 변명으로 들었다. 2007년 대선 막판, 방송에 나온 한나라당 의원 홍준표는 "누가 해도 노무현 대통령보다 잘할 것"이라고 조롱했다. 지식을 능력으로 등치시키는 게 반상체제에 길들여진 한국적 인식이다. '능력이 없어 이 지경으로 만들었으니 그 지식도 형편없을 것'이라는 인식이 이명박을 선택한 2007년 민심의 요체이다. 조국은 학자다. 그러나 정치라는 링에서는 사업가로 변신해야 한다. 사업가는 변명이 필요 없다. 사업체가 부실하면 망할 뿐이다. 무서운 일처리, 무거운 입, 무한한 책임이 필요하다.

국민감정은 변화무쌍하다. '엘리트 중의 엘리트' 이회창의 처지를 보라. 1997년 대선 당시 큰 아들의 병역비리 의혹에 대해 이회창은 "법적으로 문제없다"고 일축했다. 맞는 말이다. 그러다가 엄청난 여론의 역풍을 맞았다. 이미 서민 대중은 심증에 그친 그 비리 단서를 확증된 사실로 인식하고 있었다. '그래, 당연히 법적으로는 문제없었겠지. 당신 대법관했잖아' 이런 정서였다. 이 얼마나 비논리적인 마타도어인가. 그러나 국민 심중 깊은 곳에 있는 '있는 것들은 다 그래', '아는 것들이 모르는 우리를 속이려 든다'는 상처의 경험칙이 솟구친 것을, 역린逆鱗을 건드린 것을 이회창은 몰랐다. 심판하는 위치에 있다가 심판받는 위치로 역지사지 못한 탓이 크다.

조국은 가르치는 위치이다. 그러나 대중정치인으로 거듭나려면 터무니없는 억설이라도 가르침을 받으려는 자세가 필요하다.

마지막이다. 조국에게 결단력을 보기가 쉽지 않다. 정치 참여와 정치 미참여 사이에 금이 있다면 조국의 발은 그 가운데 걸쳐있다. 라커룸과 그라운드의 사이, 즉 운동장이 아닌 육상 트랙에 서 있는 꼴이다. 조국에게는 그 구분이 서울대 법대 교수 연구실이라는 안온한 위치와 광야, 좀 더 거칠게 말하자면 시베리아 벌판은 아닐까. 공희준은 서울대 교수직 포기와 강북 연립주택으로의 이사를 통해 진정성을 보여야 한다고 강조한다. 굳이 그런 '쇼'를 해야만 조국의 정치 행보에 힘이 실리는 것인지는 확언하기 어렵다.

이는 결국 자기희생의 본보기를 보여줄 필요가 있다는 지적이다. 어쩌면 현재 조국의 전부라고 할 수 있는 모든 기득권을 대중 앞에 내보이라는 뜻일 것이다. 조국에게는 정치 참여 자체가 큰 획이겠지만, 그 것으로는 턱없이 부족하다는 것이다. 정치학자 손학규는 그런 심지를 키우기 위해 세 차례에 걸친 민생대장정을 선보였다.

온실의 화초처럼 소수의 식자층 지지자의 폭에 둘러싸여 코멘트 정치만 하다가 종막을 맞는 일은 없어야 한다는 지적, 새겨들어야 할 것이다. 다만 자기희생의 길, 방도는 철저히 조국의 몫이라 판단한다.

[5] 조국을 컨설팅한다

이것은 어디까지나 조국의 정치무대 데뷔를 전제한 것이다. 여전히 선택은 본인의 몫이다.

조국은 선출직 정치인으로 데뷔하는 것은 여러모로 적절치 않다. 정치인으로 변신해 어느 날 갑자기 특정당의 이익을 옹호하는 모습을 보이는 것은 조국의 이미지 관리에도 바람직하지 않다. 14년간 밤 9시에 앵커로 나서 큰 신망을 얻었던 엄기영이 어느 날 갑자기 정치인으로 변신해 한나라당 지도부 앞에서 큰절하는 모습을 보인 점은 그를 믿고 뉴스의 배에 몸을 실은 시청자들에게는 당혹감 그 자체였다. (앵커는 '닻'이란 뜻도 있다.)

권력을 추구하는 것이 아니라 국민에 봉사하는 관점에서의 정치참여가 필요하다. 따라서 임명직 공무원으로서 역할을 수행했으면 하는 바람이다. 그렇다면 진보개혁 정부가 출범한 이후 법무부 장관 등 요직에 발탁될 기회가 있다면 진출을 결행하는 것이 적절할 것 같다. 법무부 장관이 돼서 할 일은 너무나 많다. 우선 검찰 개혁이 우선적이다. 권력의 시녀 역할을 해오던 검찰 분위기를 일소하는 것이다. 물론 참여정부와는 달리 철저히 문민적 통제 아래 두는 것이다. 때론 살아있는 권력에 대해서도 과감하게 단죄할 수 있도록 버팀목이 돼 주는 강단도 필요하다. 논란은 있으나 사형제 폐지를 통해 인권 옹호 법무부의 위상을 굳건히 하는 것도 있다.(문제는 논란의 중심에 서는 게 아니다. 논란 가운데서 자기 주관을 포기하는 것이다.)

법무부에서의 성과를 계기로 자연스럽게 공직 선거 출마의 길을 타진하는 것이 필요하다. 그에게 드리워진 이미지인 '강남좌파', '영남좌파' 우려에 대한 반박 차원의 선택은 어떨까. 바로 서울(범위를 좁히면 강남), 부산에서의 출마다. 국회의원 총선거든, 지방자치단체장 선거든 대중정치인으로서 시험대에 오르는 것이다. 낙선을 두려워할 것은 없다. 〈한겨레〉 편집국장을 지낸 정치선임기자 성한용은 손학규의 2011년 4.27재보선 출마에 긍정적 평가를 내리며 이런 말을 했다. "정치란 본래 그런 것이다. 성과는 언제나 도전하는 자의 몫이다."

선출직에 당선된다면 그때부터는 '웰빙 좌파'의 이미지를 털기 위해 약자층을 우군으로 만드는 적극적 행정이 필요하다. 대표적으로 앞서 언급했던 '베이비부머 세대'에 대한 적극적 포용정책을 펼치는 것이다. 국내에서 베이비부머는 한국전쟁 뒤인 1955~63년에 태어난 사람으로, 현재 전체 인구의 약 15퍼센트인 712만명에 달한다. 높은 출산율 속에 태어난 이들은 더 경쟁적인 삶을 살아와야 했다. 이들에게 일자리와 복지를 제공함으로써 기대수명 시대까지 충분한 자기 몫을 담당할 수 있도록 해야 한다. 조국의 외연을 '형님 누님세대'로까지 확장하는 것이다. 이는 저출산 고령화 사회에서 이들이 거대한 표밭이 될 수 있다는 점을 감안한 것이다.

이명박 정부와 한나라당은 말만 앞세웠을 뿐 베이비부머에 대한 실효적인 노후 대책을 거의 세우지 않았다. 이에 따라 관성적으로 투표했지만 돌아온 게 없다며 50대가 한나라당에 집단적 비토로 결기를 표시할 가능성이 높다. 조국은 이런 상황을 예견할 수 있어야 한다. 조국 행정 아래 실버세대 복지가 하나의 흥행상품이 될 수 있도록 고려해야 한다. 사실 조국은 보수진영에서도 거부감을 표시하지 않는다. 보수논객인 서울대 교수 박효종은 "나는 조 교수가 정치권에 발을 들여 정치인이 되든 혹은 대학 사회에서 비판적 지식인으로 남든 어떤 것도 선택이 될 수 있다고 본다. 정치인으로 나가는 것도 나쁘지 않다"며 격려하기도 했다.(노무현의 낮은 학력을 내심 조롱했던 데서 비롯된 '엘리트 관념'인지는 알 수 없다.) 조국은 어쩌면 진보진영에서 확장성이 무궁무진한 에이스일 가능성이 크다.

탈지역, 탈보스, 탈이념. 이런 구도 속에 20~40대, 더불어 50대의 폭넓은 지지를 받게 될 경우 조국 대통령 시대의 꿈이 결코 허망하지 않으리라는 구상도 해본다. 다만 무엇이 되기보다는 무엇을 할 것인가에 대한 꿈이 좀 더 명확해야 할 것이다. 단기필마單騎匹馬라지만, 우리 정치 현실에서 2017년도 이미 늦지 않았는가 하는 우려도 적지 않다. 그러나 구습의 틀을 지나치게 의식할 필요는 없다. 조국에게는 전에 없던 보수에 대한 심판론, 소셜네트워크라는 실효적 무기, 복지에 대한 희구라는 진보적 지평이 확대될 정치적 환경이 조성돼 있다. 그렇다고 그에게 출마를 강권할 마음은 없다. 본인의 실력을 타인이 정확하게 계량화할 수 없기 때문이다. 조국과 2017년의 조국祖國은 운명적으로 조우遭遇할 것인가. 역사가 조국에게 부여한 응답의 시간이 얼마 남지 않은 것 같다. 그의 답이 주목된다.

IV

조국과 정치가
만난다면

[1] '아름다운 패배'란 없다

안창호의 '국토개조론' 관련 메모를 소지하고 다니며 4대강 사업의 필요성을 역설한다는 이명박. 그는 진보개혁진영을 개조했다. '멋진 패배' 따위는 아무 의미가 없다는 것으로 말이다. '권력은 쉽사리 내주는 게 아니다'라는 의지는 큰 선거가 다가올수록 더욱 불탄다. 한 정치인의 "한나라당이 집권해도 나라가 망하지 않는다"는 낙관적 전망에 의존했건만, 돌아온 것은 온 나라의 총체적 사달이었다.

노무현의 가치와 정신에 대한 부정은 아니다. 그러나 이명박 집권의 책임 중 노무현의 몫이 제법 크다. 노무현은 '되게 할 힘' 대신 '안 되게 할 힘'을 썼다. 그것도 자기 진영에. 마음에 안 들어도 어쨌든 절차적 정당성을 확보해 대권을 쥔 정동영에게 "용납하지 않겠다"며 등을 돌렸다. 두 사람 사이에 어떤 곡절이 있었는지는 짐작은 해도 그것이 실상인지는 단언하기 힘들다만, 어쨌든 여러모로 온당한 태도로 보이지 않는다. 이로써 하나로 뭉쳐도 모자랄 당시 여권은 분화 혹은 투표 포기로 세를 자포자기했다. 정동영의 이야기를 들어본다.

"지난 대선 때 투표하러 안 나오신 580만 유권자 분들에게 큰 빚을 졌죠. 투표하신 분들께 진 것과는 다른 빚이죠. 어려운 사람 더 어려워지게 만든 빚, 역사에 대한 빚이죠. 수 천 수 만 번 던진 자문이 '왜 떨어졌는가'입니다."

성공회대 교수 한홍구가 당시 했던 셈이 흥미롭다.

"이명박 후보가 얻은 표는 2002년 대선에서 이회창 후보가 얻은 표보다 겨우 4만9,000표 늘었다는 점이다. 유권자 수는 근 300만 명 증가했는데 말이다. 노무현을 찍고 다음 선거에서 투표장에 나오지 않은 사람이 거의 600만명에 달했다는 얘기다."

변명 같지만, 대선 당일 나는 투표하러 가는 길에 '파이프라인'을 통해 정동영이 만회할 수 없을 만큼 뒤처지고 있다는 전언을 들었다. '어차피 안 될 바에야 괜히 투표율 높여서 이명박 당선의 액세서리가 될 필요가 있겠나. 차라리 말자' 이랬다. 지금 생각하면 구차하고 졸렬하다. 내 한 표의 위력이 미미하더라도 투표는 해야 한다.

그리고 파란만장한 이명박시대를 4년 보냈다. '한나라당이 집권해도 나라가 망하지 않는다'고 믿었던 반反한나라당 성향의 유권자는 똑똑해졌다. 2010년 6.2지방선거, 2011년 4.27재보선에서의 젊은층, 특히 생산성을 발현하는 30~40대의 투표 열기는 대단했다. 6.2지방선거 당시 50대와 60대의 투표율은 4년 전 지방선거 때보다 각각 4.1퍼센트포인트, 1.6퍼센트포인트씩 떨어졌지만, 30대는 오히려 4퍼센트포인트 넘게 증가했고, 40대는 0.4퍼센트포인트 줄어드는 데 그쳤다. 그리고 4.27재보선은 비가 내리는 가운데도 오전 6~9시 출근시간대(투표율 10.9퍼센트), 오후 6~8시 퇴근시간대(9.1퍼센트)에 투표장으로 몰렸다. 분당을이 특히 주목됐는데, 마감시간 한 시간 전 오후 7시 42.8퍼센트를 보였던 투표율은 오후 8시 49.1퍼센트를 기록하면서 한 시간 동안 무려 6.3퍼센트가 투표장으로 달려갔다. 퇴근 후 득달같이 달려와 투표했다는 이야기이다. 선거 전문가들은 이 6.3퍼센트는 당분간 깨지기 힘든 투표율로 기록될 것으로 예상했다. 이들이 모두 한나라당을 심판했다고는 말할 수 없지만, 다수라는 점은 각종 데이터와 지표를 통해 드러난다.

이런 추이가 계속될 것이라는 데는 이견이 없다. 한국사회여론연구소 조사분석실장 윤희웅은 "그런 점에서 이번 재보선은 예고편이다. 30~40대의 적극적 참여 열기는 앞으로 계속될 것 같다. 내년 총선에도 정권 심판의 의미가 부여된다면 이런 분위기로 갈 것"이라고 내다봤다.

투표율만이 아니다. 30~40대는 정치적으로 약아졌다. 목적한 승리에 도달할 수 있는 카드라면 조건을 따지지 않는다. 매우 유연하다. 유시민의 지지세는 30~40대에 집중된다. 논리력, 도덕성에 노무현과의 친소관계, 아울러 정책 비전이 이 세대의 코드에 부합했기 때문이다. 그러나 유시민은 김해을 국회의원 단일화 과정에서 큰 민심 이반을 경험했다. 이후 정치학박사 고성국은 "2012년까지 유시민이 한국 정치에서 변수가 될 일은 없다"고 단언했다. 놀라운 점은 30~40대 중 반反한나라당 성향의 유권자는 유시민 지지 여부와는 별개로 "그가 대통령이 되기엔 현실적 한계가 많다"며 대안을 모색하고 있다는 점이다. 아무리 유시민이 좋아도 '아름다운 패배'를 허용할 수는 없다는 확실한 '선 긋기'다.

대표적인 유시민 지지자인 〈딴지일보〉 총수 김어준도 유시민의 장점은 여전히 인정하나 대선주자로서는 한계가 역력하다며 새로운 대안(문재인)을 찾았다. 중대한 변화다.

2010년 6.2지방선거에서 서울시장 후보로서 완주한 진보신당 대표 노회찬이 받은 비난은 이루 말할 수 없다. 민주당 지지자만의 손가락질이 아니었다. "당신이 얻은 그 득표의 얼마라도 한명숙에게 갔다면 오세훈이 이길 일은 없었을 것"이라는 비판은 이명박에 대한 적개심을 가진 유권자층에서 고루 나왔다.(당시 오세훈, 한명숙의 격차는 불과 0.2퍼센트, 노회찬은 10퍼센트의 득표율을 기록했다.) 진보신당 당원의 "정당정치를 부정하지 말라"는 식의 대응은 전혀 먹히지 않다시피 했다. 물론 이기는 게임에 천착하다보면 절차적 정당성을 요구하는 의회민주주의의 기틀을 훼손할 수 있다.

비판의 여지도 있으나 〈오마이뉴스〉 대표 오연호는 알아주건, 알아주지 않건 간에 지난 10년 동안 '될 카드'를 제시해왔다. 2002년은 적중했다. 후보 노무현을 주목했던 것이다. 국민경선 승리, 후단협 이후 흔들리는 후보 위상에도 든든한 후견인으로서 적극 지원했다. 노무현을 '인터넷 대통령'으로 이름 붙이는데 주저함이 없는 이유도 다 이런 배경이다. 그런 오연호는 2007년 가을경 이 사람을 주목했다. CEO 출신 경제 대통령으로서 이명박의 이미지가 부각될 무렵, '토건'에 대칭되는 '사람' 중심의 경제 대통령으로서 문국현을 내세운 것이다. 그러나 당 운영 과정에서 노출한 독선, 선거법 위반으로 인한 정치인생 종결은 오연호의 '킹 메이킹' 역량에 중대한 의문을 품게 했다. 그런데 이번에 또 카드를 내놓았다.

조국이다. 조국은 오연호에게 코멘터리를 통한 광의의 정치는 하지만, 참정 의지에 대해서는 선을 그었다. 같은 말을 내가 한 인터뷰에서도 했다. 조국은 헛말을 안 한다. '개념 바른 법학자'라는 자신의 브랜드에 대한 강한 애착이 있기 때문이다. 그러나 "2017년에도 관심 없습니다"라는 말이 없었음에 나는 조국의 참정 가능성을 점치게 된다.

조국은 매력 있는 사람이다. 오연호도 그것을 봤다. 오연호 식의 '인재발탁' 기준은 확장성 결국 휘발성이다. 한마디로 말해 '이 사람이라면 투표하러 나갈 맛이 난다'는 면이다.

앞서도 이야기한 바지만, 오연호가 주목한 점을 요약하자면 이렇다. 조국은 현실정치의 때가 끼지 않았다. 법학자로서 품격이 있다. 강자 중심의 사회구조에 대한 강한 문제의식, 아울러 더불어함께 사는 진보적 세상의 비전을 품고 있다. 한국 유권자가 꽤나 따진다는 '비주얼'도 갖췄다. 놀라운 부분은 보수언론도 조국을 경계는하나 주목하고 있다는 점이다. 물론 정치 무경험, 엘리트주의 우려, 강남좌파 시비 등 지워야 할 의구심의 소재 또한 많아 보인다.

대중은 승리 가능성으로 조국을 타진하고 있다. 승리에 대한 강한 의지, 그리고 이를 가능케 할 전략 여부가 그 잣대가 될 것이다. 지지자에게 승리의 확신을 심어주는 노력 그리고 지지자 앞에 승리를 선사할 수 있는 능력은 필수 덕목이다.

[2] '하늘에서 뚝 떨어진 후보'란 없다

2002년 민주당 대통령 후보가 된 노무현을 '하늘에서 뚝 떨어진 후보'라고 보는 이들도 있었다. 정치 입문 이래 단 한 번도 비주류가 아니었던 때가 없었기 때문이다. 그런 인물이 갑자기 공당의 대선 주자가 되다보니 그의 부각이 돌출처럼 비춰졌던 터다. 그러나 노무현은 1988년 13대 총선부터 정치를 시작했다. 시국사건이었던 부림 변호까지 포함시킨다면 20여 년 가깝다. 하루아침에 뜬 게 아니다. 당연히 정치의식과 감각은 달인의 경지에 오른 뒤다. 아니 그런 정도가 아니라 이를 구태로 여기고 새로운 정치문화 형성을 위해 애썼으니 달인 그 이상일 게다.

2011년 4.27지방선거에서 14년 앵커로서의 공신력을 단 몇 주 만에 실추시킨 한나라당 전 강원도지사 후보 엄기영을 보자. 정치를 결심하자마자 맞게 된 선거, 여론조사 공표 금지 시점까지 지지율이 경쟁 후보를 두 자릿수로 따돌렸다. 그런데 결과는 5퍼센트 패배였다.

불운이 아니다. 다 그럴 이유가 있었다. TV토론에 나가 스스로를 희극의 주인공으로 만들었기 때문이다. 명백한 본인의 과실('이광재 전 지사가 참여정부 당시에 박연차 뇌물 수수건으로 기소됐다'는 허위 주장)을 인정하라는 상대 후보의 요구에 끝까지 들은 척도 않고 뭉갠 내용의 동영상이 투표 당일까지 무려 24만건이나 조회 됐다. 또 위기관리 능력의 부재도 큰 이유이다. 선거·막판 강릉에서 자신을 지지하는 몇몇 자원봉사자들이 일당을 받기로 하고 불법 선거운동을 벌인 부분을 놓고는 꼬리자르기에 급급했다. 이들 중에 는 분윳값 벌기 위해 나선 아기 엄마도 있는 만큼 대중을 다독이는 차원에서 "과실의 책임을 지겠다"며 그 흔하디 흔한 수사 한 마디 를 내뱉을 법 했는데도, 외면했다.

정치는 논리가 아니다. 정서情緒다. 아울러 정동情動, affectus이다. 앞 서 아들 병역비리에 직면한 이회창의 '아마추어리즘'을 지적했다 만, 전혀 다른 각도에서 보자면 노무현도 이런 '비논리'의 칼날에 온 몸에 상흔이 생긴 경우다. 다름 아닌 지역감정이다. 한참 지지율 이 고공 상승할 때인 2000년 16대 국회의원 선거 당시였다. 경쟁 자인 한나라당 후보 허태열이 노무현이 속한 민주당이 호남을 정 치기반으로 하고 있다는 점을 겨냥해 "여러분의 자식을 또 전라도 사람들 밑에서 종살이 시킬 거냐"며 부채질했다. 노무현은 낙선했 다. 낙선 가능성은 그 유명한 '공터 연설'을 통해 이미 예견됐다. 하 지만 노무현은 실패에 굴하지 않고 이를 (새로운 정치에 대한) 진 정성으로 승화시켜 2년 뒤 대통령선거 국면에서 중대한 동력으로 삼았다.

정서를 이해하고, 이를 재빨리 선거 구호로 내걸 수 있는 센스는 다년간의 정당정치와 수차례의 선거 경험을 통해 얻을 수 있는 것 이다.

여기서 정운찬 이야기를 안 할 수 없다. 2007년 대선 당시 현재 민주당이라고 할 수 있는 범여권은 무려 1년 가까이 대선주자로 정운찬을 영입하려 애썼다. 그러나 정운찬은 "정치세력화 활동을 이끌어 본 정치지도자로서의 자격이 없고", "원칙을 지키면서 동시에 정치세력화를 추진할 만한 능력이 없어"라며 거부했다. 비겁한 선택이라고 하나 매우 깊은 검토와 성찰의 흔적이 묻어나는 결정이라 아니할 수 없다. 정운찬이 도전에 나섰다면 그야말로 '하늘에서 뚝 떨어진 경우'라 하겠다.

그런 정운찬은 수 년 뒤 이명박의 요청에 따라 국무총리가 됐다. 혹여 김영삼을 대한 이회창처럼 이명박에게 직언을 하면서 스스로의 정치적 존재감을 키우는 것 아니냐는 목소리가 친이명박계 내부에서 나왔다. 그러나 이런 우려는 인사 청문회 단계에서 꺼졌다. 병역비리, 배우자 위장전입, 소득세 탈루, 국가공무원법 위반, 공직자윤리법 위반, 논문 이중게재, 국가공무원법 상 뇌물죄, 종합소득세 누락, 아들 국적문제 등 무려 9가지 사항에 대한 의혹을 야당으로부터 제기 받으며였다. 야당 의원 앞에서 절절 매고, 때론 사실과 다른 고집을 부리며 버티다 사과하는 식으로 굴욕의 연속이었다. 총리 스펙은 달았으나 이후 정운찬이 향후 대선 정국에 변수가 될 것으로 보는 이들은 거의 없다.

엄기영, 정운찬을 통해 하고 싶은 말은 이거다. 서울대 출신의 엘리트 정치인들은 통상 꽃가마 타고 비단길을 걸을 것이라는 착각에 빠진다. 그러다 낭패에 빠진다. 사태 수습 능력은 없다. 그렇게 고립 고사된다.

이런 우려에 대한 답일까. 조국은 이 말을 했다.

"지금 내가 할 역할은 진보진영 전체 구조조정에 기여하는 것이다. 야권이 연합정부에 합의하면 공동선거대책위원회에 합류하겠다. 마이크 잡으라고 하면 마이크 잡겠다."

혹 '하늘에서 뚝 떨어진 후보'가 되지는 않겠다는 선언이라면 엄기영, 정운찬과는 격과 결이 다르다 하겠다.

[3] '다양성을 외면한 정치'란 없다

2009년 5월 5일 어린이날에 어린이를 청와대로 부른 이명박은 "피자와 자장면이 좋다"라며 "짱"이라고 이야기해야 할 부분에서 "쨍"이라고 했다. 작대기 하나긴 하지만, 사회자와 어린이는 그 부조화에 폭소를 터뜨렸다. 이런 것까지 "평소 젊은 세대의 문화에 관심이 없다보니 교감을 못 맞춘 것 아니냐"며 비판하지는 않겠다만, 낡고 고루한 인물로서 이명박의 이미지 개선에 별 도움이 되지 못한 것 역시 사실이다.

이명박의 '촌티'는 서울시장으로 있을 때인 2006년에 한 발언으로 더욱 강렬했다. 한 방송사 공개 음악 프로그램의 출연자가 알몸 노출 방송사고를 일으키자 정례 간부회의에서 "서울시가 각 구청을 통해 그러한 공연이 불법으로 이뤄지는 곳이 어디인지 일제점검을 할 필요가 있다"며 "사회적 통념에 맞지 않는 퇴폐적인 공연을 하는 팀의 블랙리스트를 만들고 서울시 산하 공연에는 초청하지 않도록 하라"고 지시한 것이다. 이것이 큰 논란을 야기하자 이명박은 홍대 앞 클럽을 찾아가 공연을 '즐겼다'.

조국의 삶과 대중문화 환경의 문화를 이렇게 엮어 본다. 그의 나이 16살에 '총천연색 컬러TV가 처음 도입됐고(1980년), 17살에 대학 입학 정원이 크게 늘었으며(1981년), 18살에 프로야구를 시작했고(1982년), 같은 나이 야간통행금지를 폐지했으며(1982년), 19살에 교복자율화도 실시했다(1983년). 이는 당시 전두환 정권의 당근 또는 3S(스크린, 스포츠, 섹스)로 통칭되는 우민화愚民化 정책의 일환이라고 볼 수도 있지만, 머리가 말랑말랑했던 동시대 젊은 이들에게는 스펙트럼이 한층 넓어진 사회·문화적 자극이 된 것만은 분명하다. 이상은 〈주간동아〉 기사를 엮은 것이다. 다음 부분은 아예 인용해보자.

'이들 세대가 사회생활을 시작한 1980년대 말부터 1990년대 초는 PC와 각종 업무용 소프트웨어, 무선호출기(삐삐)와 휴대전화 등이 본격 도입되던 시기다. 또 세계화 시대를 맞아 직장인들 사이에 영어 공부 열풍이 불었다. 실제로 영어 실력이 업무 능력 향상과 출세에 큰 영향을 미치기도 했다. 대학 시절 '미제국주의 타파'를 외쳤던 이들은 아이러니하게도 생존을 위해 영어 테이프를 듣고 영어책을 붙들고 있어야 했다.'
_〈주간동아〉 2011. 2. 14 '386세대의 진화, 新중년이 사는 법'

정치지도자의 문화에 대한 조예란 다른 게 아니다. 다양성을 인정하는 것이다. 그 다양성에는 지도자 자신의 뜻과 지향점에 반하는 것은 물론 거칠게 이야기해 자신을 대놓고 욕하는 것까지 포괄한다. 이걸 용납하는 데서 비로소 문화 정치는 실현된다. 다 끝나가는 이명박을 다시 논의의 장으로 불러내고 싶지 않다만, 누군가 거리에 붙인 G20 정상회의 홍보 포스터에 청사초롱을 든 쥐 그림, 즉 낙서를 하자 징역살이 시키겠다며 검찰이 목청 높이는 나라에서는 기대하기 어려운 것이다.

여담이지만 이명박에게 해주고 싶은 일화가 있다. '정관의 치治'를 이룬 당 태종 이야기를 안 할 수 없다. 그의 정책 참모, 즉 책사로 위징이 있었다. 위징은 시도 때도 없이 바른 말을 했다. 위징은 "신하가 간언하면 자신이 위태롭지만, 하지 않으면 나라가 위태롭다"고 했다. 소아마비로 좌절에 빠진 프랭클린 루스벨트가 미국 대통령이 되기까지는 루이 하우의 역할이 컸다. 루즈벨트가 아이디어를 내면 하우는 그것을 조각조각 내고 있을 법한 모든 결점을 샅샅이 찾아내는 비판자의 역할을 했다. 하우의 모든 비판을 충분히 방어하고 나서야 루즈벨트의 아이디어는 오케이 사인을 얻을 수 있었다. 루이의 지론은 '참모의 예스는 먹기 좋은 독약'이라는 것이었다. 걸프전의 영웅인 미국 장군 슈워츠코프는 "가장 경계해야 할 것은 예스맨 무리"라고 했다.

그런데 지도자들은 비판에 쉽게 귀를 닫는 경향이 있다. 일전에 전 총리 김종필은 "청와대란 6개월이면 눈을 막고 귀를 멀게 하는 곳"이라고 했다. 지도자가 자신의 눈과 귀가 혹시 막히지 않았는지 늘 애써서 돌아보지 않으면 뜻하지 않게 듣기 좋은 말만 편식하는 존재가 될 수 있다는 설명이다. 진나라 2세 황제 호해 때 환관 조고가 난을 일으켰다. 호해는 "왜 미리 알리지 않았느냐"며 어린 환관을 꾸짖었다. 그러자 어린 환관은 이렇게 말했다. "일찍 말씀드렸다면 지금 제 목은 붙어 있지 않았을 겁니다"라고 말이다. 싫은 소리 마다하다가 자칫 패주가 될 뻔했다.

이명박은 심지어 코미디에까지 통제의 마수를 뻗쳤다. 일전에 기고한 칼럼이다.

"'예로부터 광대는 건들지 않았다.' 정치평론가 공희준의 말이다. 맞다. 교회가 권력의 중심이던 16세기 유럽, 프랑수아 라 블레는 풍자소설을 통해 "악마에게 잡아먹혀라, 더러운 사제들 아!"라고 질러댔다. 18세기 탐관오리가 판치던 이 땅에서도 양 반의 위선을 조롱하는 봉산탈춤이 뭇 백성의 분을 풀어줬다. 하 지만 해코지 입은 광대는 동서고금을 통틀어 없었다. 조선 중 기, 자신을 풍자한 남사당패를 의금부로 끌어가 혼쭐낸 왕 연산 군 말고는. 그런 보복은 미치광이나 할 짓이라는 이야기다.

코미디언 김미화, 수난의 연속이다. 고 노무현 전 대통령이 출 연한 〈에스비에스〉 프로그램 사회를 본 것이 화근이었다. 그 방 송 사장으로부터 '김미화는 친노가 아니다'라는 확인서를 받고, '친노'라고 오해한 몇몇 언론을 상대로 소송을 벌여 이겼지만 소용없다. '선동꾼', '좌익운동가'라는 무도한 빨간색 색칠하기 는 여전하다. 이런 일각의 광기에 이성 회복을 촉구해야 할 거 대 방송사 경영진은 되레 부화뇌동하며 '김미화 죽이기'에 일조 하고 있다. 코미디언을 무대 밖에서까지 우습게 여기는 형국이 다.

그러나 이것이 분뇨·가스통을 들고 지저분한 위세를 떨치는 '애국' 진영만의 행태는 아닌 듯하다. 재담꾼 김제동은 〈한겨레〉 '직설'에서 노무현 전 대통령 장례식 사회를 맡았을 때 "십자포 화 안티를 맞았다. 한쪽에서는 명계남·문성근 같은 훌륭한 사 람들을 놔두고 너 따위가!"라는 소리를 들었다고 회고했다.

엄숙주의 탓이다. 〈한국방송〉 '개그콘서트'에서 인기를 끈 '1 등만 기억하는 더러운 세상'이라는 유행어가 석연찮게 사라졌 다. 재미가 없다는 제작진 내부 평가가 구실이었다. 하지만 대 중은 '그 유행어, 마음에 안 든다'는 여당 의원의 압박 때문이라 는 데 무게를 둔다. 안윤상의 재기 넘치는 성대모사만 나오면 큰 웃음이 터진다. 그러나 진정한 재미는 흉내 대상 인물의 호칭은 다 생략해도 이명박만은 '대통령' 직함을 꼭 넣어주는 센스다. 행여 각하가 노여워하실까 염려한 탓이리라. 또한 요즘 이래저래 유명한 진성호 한나라당 의원이 얼마 전 '욕설 쓰는 연예인'이라며 김구라의 퇴출을 요구했다. 무명 시절 '뜨기 위해' 거친 표현을 삼가지 않은 과오, 유명인이 돼 거듭 참회해도 소용없다. 고상하지 않은 '육체의 언어'를 쓴 죄는 밥줄 끊어 마땅한 중죄로 본 연유다.

1970년대 '후라이보이' 곽규석은 텔레비전 프로그램에서 멋대로 휘갈긴 그림을 보고 "피카소 작품이냐"며 너스레를 떨었다. 그러다 '남산'에 불려가 사달 났다. '공산당원 피카소'의 정체를 몰랐던 탓이다. 이런 저열한 시대에 독재자와 맞서 싸우다 훗날 보수정치인이 된 이들, 요즘은 곽규석이 아닌 다른 코미디언의 숨통을 쥐고 있는 형국이다. "자신이 싸운 괴물과 닮지 말라"는 프리드리히 니체의 당부, 마치 이들을 겨냥한 듯하다.

폼 잡고 심각한 말을 해도 대중에게 웃음거리가 되는, 그래서 동정도 받는 코미디언. 이들을 울리는 세력의 온전한 노후는 없었다. 곽규석에게 공포감을 안긴 그때 그 지도자는 흉탄에 맞아 죽었고, 두상이 흡사하다는 이유만으로 방송 출연을 막아 이주일을 낙담케 한 당대 지도자는 여태 '전재산 29만원뿐인 영세민'이라며 조롱받고 있다. 김미화는 "더이상 코미디언을 슬프게 하는 사회가 안 됐으면 한다"고 밝혔다. 이를 호소 아닌 경고로 새겨듣는 이가 진정 현자일 것이다.'

_〈한겨레〉 2011. 4. 16자 '문화칼럼'

조국에게 문화가 정치가 됐으면 하는 바람이다. 흔히 우리 사회

엘리트 계층은 남은 모르나 자신에 대한 비판에는 상당히 경도된 반응을 보인다. 비판 내용의 적실성부터 이를 응징할 법 논리 고민까지. 그러나 모략 당함은 정치인의 숙명임을 인정하는 자세가 절실하다. '권력을 쥔 죄'라고나 할까. 관중석에서 필드로 뛰어나올 때에는 존경받을 권리를 내려놓아야 한다.

그런데 조국도 이 사안에 있어서는 '현재진행형'이다. 〈동아일보〉는 2011년 3월 21일자 '김순덕 칼럼'에서 조국에 대해 다음과 같이 비판했다.

'하지만 자기 딸을 외국어고를 거쳐 이공계 대학에 진학시키고는 "나의 진보적 가치와 아이의 행복이 충돌할 때 결국 아이를 위해 양보하게 되더라"고 털어놓은 경향신문 인터뷰를 보면 경악하지 않을 수 없다. "학생을 공부기계로 만드는 현 교육체제를 바꾸려면 일차적으로 공부하는 시간을 제도적으로 줄여야 한다"던 그의 글만 믿고 따라 한 학부모나 학교가 있었다면 완전 뒤통수 맞은 거다.'

정서적 공감대 형성을 위해 때론 수사를 사용할 수 있으나 논리적 기조를 흔들어서는 안 된다. 김순덕은 이런 점에서 항상 낙제점이다. 그래도 사정을 알아보지 않고 휘갈겨댄 인신공격은 중앙일간지의 품위에 맞지 않다.

조국은 이에 대해 민감한 반응을 보였다. "동아일보가 연속적으로 나를 깐다. 내가 유학을 마치고 귀국한 후 딸아이가 한국 학교에 적응이 잘 되지 않아 영어로 수업하는 외고 국제반에 진학했다. 딸아이 외고 보내놓고 무슨 교육개혁 운운이냐고 비난한다"고 했다. 이어 "나는 내 속의 '위선'과 '언행불일치'를 직시하고 이를 고치려고 노력할 것이다. 그러나 동아의 공격에 위축될 생각은 없다. 동아는 '강부자', '고소영'층에 대해서는 관대하면서 '강남좌파' 할퀴기에 여념이 없다. 측은하다"고 쓴소리를 했다. "동아는 '분당우파'는 '강남좌파'에 속지 말아야 한다고 호소한다. 강남과 분당을 분리시키며 분당 주민에게 '강남좌파'가 아니라 '분당우파'로 살라고 조언한다. 동아가 참으로 분당 선거와 보수층의 이반이 걱정되나 보다"고도 덧붙였다.

난삽한 김순덕 글에 비해 논리적으로 훨씬 정갈하다. 그러나 불필요했다. 거대 언론사의 공격에 '무플' 대응이 훨씬 나았을 것이라는 이야기이다. 〈동아일보〉가 언론이라기보다는 하나의 변질된 정치집단이라고 보는 게 옳다. 대응하는 것은 곧 정쟁이 된다. 그리고 이미지 관리에 치중한다는 괜한 구설을 낳을 가능성도 있다. 정치 입문에 대한 의지가 있다면 이런 지적에 큰 의미를 두지 않은 '뻔뻔함'이 필요하다. 그런 의미에서 정계 입문을 선언한 순간 쏟아질 '폴리페서(정치지향적 교수)' 논란은 어떻게 대응해야 할까. 대응하지 않는 게 답일 것이다.

나아가 이런 언급을 덧붙이고 싶다. 17대 국회의원을 지낸 정봉주가 한 말이 있다. "(엘리트 출신 정치 초년병들은) 사방에서 쏟아지는 비난에 견디기 힘들어한다. 그래서 중도 포기한다. 그러나 나는 다르다. 누가 나 좀 씹어주지 않나하는 마음이다."

노무현은 집권 5년 동안 얻은 비난을 참고 견딘 끝에 퇴임 후 존경과 사랑을 받았다. 정치인에게 비난이란 권력의 징표요, 대중의 관심을 방증한다. 조국에게는 '정치근육' 못지않게 반대 정서를 이겨낼 '굳은 살'도 요구된다.

[4] '서민 모르는 정치'는
없다

이명박이 날이면 날마다 하는 게 서민 걱정이다. 그럴 수밖에 없다. 부자나 서민이나 같은 효력을 지니는 '1표'를 무시할 수 없기 때문이다. 게다가 서민은 절대 다수다.

국세청 자료에 따르면, 대한민국에서 소득 하위 20퍼센트의 자영업자와 월급생활자는 똑같이 명목소득이 많게는 1/3가량 줄어든 반면 상위 20퍼센트의 소득은 큰 폭으로 증가했다. 따라서 상위 20퍼센트가 전체 소득에서 차지하는 비중이 커져 이들이 전체 부의 80퍼센트를 가져간다는 '20 대 80'의 법칙이 지배하는 사회로 변해가고 있다.

이명박의 '위為서민 정책'은 이와 같이 낙제점이다. 양극화는 전례 없이 심화됐다. 이게 불운이라면 모르겠다. 그러나 서민 박대 상황은 이미 예견돼 있었다. 이명박 정부는 2008년 출범하자마자 야당 및 시민단체의 강력한 반발을 무릅쓰고 부자 감세 정책을 밀어붙였다. 또 종부세로 거둬들이는 액수가 2조3,000억에서 1조로 확 줄였다. 소득세와 상속·증여세도 각각 3.6퍼센트, 2.5퍼센트 줄였다. 이런 여러 세목은 부자가 아니고서는 부담을 느낄 리 없는 것들이다. 이렇게 세금을 덜 받다보니 국가 재정 부담은 커지고, 부자와 가난한 사람 가리지 않고 내는 세금, 즉 간접세 비중이 정권 출범 후 5퍼센트나 상승했다. 이건 결국 부자 세금 줄이려고 대신 가난한 사람으로부터 더 받는 형국이다.

그러나 여러 지표를 통해 봤을 때 한나라당은 저소득, 비대졸, 블루칼라로 상징되는 서민층 다수로부터 지지를 얻고 있다. 여전히 '힘 있는 여당론'이 먹히고 있다. 그러나 서서히 빠지는 추세다. 문제는 서민 계층이 차별과 불평등의 구조에 놓여있는 현실을 집단적 연대를 통해 풀어나갈 가능성이 적다는 점이다. 주요 정치 일정마다 가치보다는 인물을 추종하는 선거 연대가 있을 뿐이다. 훗날파기됐으나, 이명박과 한국노총의 2007년 공조가 그 예다. 야당이제 아무리 훌륭한 정책을 세워도 그때뿐이다.

한 월간지에 기고한 내용이다.

'민주노동당의 대선 공약을 살펴보면 '부유세'라는 가상 세원이 자주 언급된다. 이 세원은 부자들에게서 돈을 가져와 후미진계층의 복지를 도모한다는 취지로 구상한 것이다. 문제는 여기에 반기는 세력들이 없다는 점이다. 기껏 땀 흘려 벌어봐야 나중에 세금폭탄 맞을 것이 뻔한 부자들은 말할 것도 없고, '수혜대상'인 서민들도 그리 반기지 않는다는 것이다. 왜 그럴까. 우리나라 서민들은 기본적으로 부자 되기를 소원한다. 납득이 안갈 정도로 힘을 얻는 '이명박 바람'은 '이명박이 나를 부자로 만들어주지 않을까'하는 기대심의 발로라는 분석도 있다. 그런데부자가 되려는 국민들에게 부자 되면 세금 빼앗겠다는 논리가먹히겠냐는 이야기이다.'
_〈작은책〉 2007년 11월호

논의가 번지더라도 이 이야기는 해야 한다. 서구사회와 한국인의 부동산에 대한 인식은 하늘과 땅이다. 미국인의 경우 집을 보통 30년 담보융자로 구입한다. 대학을 졸업한 후 결혼연령인 30대에 집을 구입하면 은퇴할 나이인 60대에 이르러서야 100퍼센트 자기 소유가 된다는 것이다. 60대까지 이 집은 담보융자 회사의 것이다. 다만 그새 '더 내라', '나가라' 하는 집주인의 횡포는 없다. 소비자가 매우 '쿨'하다 하겠다. 그러나 한국인은 임대 자체가 하나의 낮은 신분성을 드러내는 것으로 인식하고 있으며, 실제 임대자가 한없이 불리한 구조에 놓여있음을 통찰하고 있다. 이러다보니 한사코 '소유'만을 고집한다.(내가 사는 동네에는 임대와 자가 아파트가 혼재돼 있다. 그런데 이 동네의 유일한 초등학교에서는 임대와 자가 어린이들끼리 따로 놀고, 밥도 따로 먹는다고 한다. 기막힌 일이다. 웃자고 하는 이야기다만, '임대'가 요즘 '자가'를 비웃는단다. "돈 엄청 꿔다가 집 샀지만 못 갚고 있잖나. '하우스 푸어'보다는 임대가 낫다"며 말이다.) 게다가 부동산은 이 땅에서 거의 유일한 '대박'의 수단이다. 강자 패권 관행이 낳은 '인생역전' 신드롬, 한국 사회에 독버섯처럼 퍼져 있는 것이다. 이걸 해소하는 것은 정치의 몫 아니겠나.

조국의 그간의 저서를 읽어보면 약자에 대한 무한한 공경과 배려가 넘쳐난다. 하지만 역공의 빌미도 있다. '강남좌파' 이미지다. 이미 몇몇 구태 언론은 조국을 특권계급으로 포장할 뜻을 여러 각도에서 내비치고 있다. 서울교육감 곽노현도 그런 식으로 매도당했다.

서민과의 적절한 스킨쉽이 없다는 점이 아쉬운 대목이다. 이는 정치 일선에 나서 시장가서 국밥 먹는다고 생기는 게 아니다. 정치에 나서기에 앞서 가시적이고 실효성 있는 '어울림'을 주문하고 싶다. 쇼만 하라는 게 아니다. 이 사회에 만연한 양극화의 모순, 이 안에서 커지는 '신분 상승' 등의 욕망체계에 대해 응답해야 한다는 것이다. 정치권력이 각성하고 자본체계의 혁신이라는 거대담론을 저서를 통해 충분히 피력했다면 무엇이 이 시대에 절실한 과제와 대안이 무엇인지 창의적인 답을 도출해냈으면 한다. 이 책을 갈음할 시점에 반값 등록금 논란이 불거졌다. 이 현장에 조국의 발언과 행동이 없음이 안타깝다.

V

정치 고수에게
조국을 물었다

이택수   공희준   노혜경

[1] 여론공학의 관점에서
_이택수

4.27재보선 직전 여론조사 전문기관 〈리얼미터〉의 대표 이택수는 지인인 〈딴지일보〉 총수 김어준에게 "야권 후보를 놓고 보면 순천 대승, 강원 대역전 승리, 분당 승리, 김해 패배로 예상된다"고 이야기했다. 적중했다. '순천 엎치락뒤치락, 강원 엄기영 대승, 분당 강재섭-손학규 박빙, 김해 이봉수 완승'을 예견했던 유수의 여론조사 기관은 할 말을 잃었다. 그가 이런 판세의 요동을 가장 먼저 실측한 것은 이번만이 아니다. 유선전화 뿐 아니라 무작위 유선전화(RDD), 휴대전화 조사를 사실상 최초로 도입해 '허수'를 줄여왔다. 어쩌다 한 번이 아니라 주 단위로 여론의 동향을 분석하며 데이터베이스를 축적해 왔다. 이에 기초한 정치비평은 따라서, 예사롭지 않다. 주관적인 인상비평만 가득한 정치판에서 특히 말이다. 그에게 조국에 대한 '여론 공학'에 기초한 평가를 요청했다.

Q. 2017년은 이른바 386세대의 집권을 예견할 수 있을 것 같다. 1961년생 오바마가 미국 대통령이 된 것처럼. 여야 통틀어 괄목할 386세대 가운데 대권주자급 후보로 누구를 꼽을 수 있을지, 이유는 무엇인지 말해 달라.

A. 여야를 통틀어 386세대 정치인 가운데 가장 지지율이 높은 정치인은 오세훈이다. 오세훈은 오바마 대통령과 마찬가지로 1961년생으로, 현 여야 대선주자군에서 박근혜, 손학규, 유시민에 이어 4위로 5퍼센트 안팎의 꾸준한 지지율을 기록하고 있다. 오세훈은 2012년 대선에도 출사표를 던질 가능성이 있지만, 박근혜의 대세론이 흔들리지 않을 경우 2017년 선거에 승부를 걸 수 있다.

그 다음으로 원희룡이 여당 내 386세대 주자 가운데 고정적인 지지율을 기록하고 있는 또 하나의 대선주자다. 원희룡은 1964년생의 3선 의원으로, 지난 2007년 한나라당 대선 경선에 출마한 경험이 있고, 2010년 서울시장 경선에도 출마한 경험이 있기 때문에 다가오는 2012년, 또는 2017년 대선 경선에서도 386세대 주자로서 참여할 가능성이 높다. 특히 당내 소장파 의원 이미지에 갇혀있던 원희룡은 지난 지방선거 이후 사무총장을 수행해오면서 보수적 색채의 한나라당 지지층으로부터 고정적인 지지를 받기 시작했다.

여당 내에서 주목되는 386 잠룡 중 마지막으로 주목할 만한 주자는 나경원이다. 1963년생인 나경원은 지난 지방선거 경선에서 오세훈에게 패배하긴 했지만, 지방선거 이후 치러진 전당대회에서 상당한 득표로 최고위원으로 선출됐고, 당내 공천개혁특위 위원장을 맡아 당내 권력구조를 개편할 수 있는 밑그림을 그리고 있다는 점에서 주목받고 있다. 아울러 〈리얼미터〉의 차차기 대선 주자군 지지도에서 여야를 통틀어 가장 높은 지지를 받고 있다는 점도 그를 무시할 수 없는 점이다.

민주당내 386 주자군에서는 송영길이 가장 앞서가고 있다. 1963년생인 송영길은 3선 의원과 당내 최고위원을 거친 후 인천시장직에 입성했다. 〈리얼미터〉 차차기 여야 주자군에서 나경원 다음으로 지지율이 높다. 다만 그의 앞에는 인천시의 어려운 재정 문제, 아시안게임 등 여러 정책의 준비 과정에서 나타나고 있는 갈등양상을 잘 해결해야하는 숙제가 놓여있다.

다음으로 주목할 만한 민주당내 386 주자는 이광재다. 1965년생인 이광재는 17대, 18대 국회의원을 지내고 지난 지방선거에서는 강원도지사에 당선됐다. 이후 대법원으로부터 당선 무효형을 선고받아 지사직을 잃었지만, 이번 4.27재보궐선거로 다시금 그의 영향력이 주목 받게 되었다. 강원도지사 선거의 지원뿐 아니라 손학규를 지지한 바 있는 이광재는 손학규의 분당(을) 승리의 영향으로 더욱 주목을 받게 된 것이다.

마지막으로 안희정을 거론하지 않을 수 없다. 안 지사는 이광재와 1965년생 동갑으로, 송영길, 이광재와 함께 민주당 차차기 주자군 빅3를 형성하고 있다. 세 사람은 지지율에서 격차가 크지 않고, 계속 엎치락뒤치락 하는 형국이다. 안 지사는 노무현 정부 출범 이후 대선자금 문제로 빛을 보지 못하다가 지난 지방선거 이후 친노의 적통으로 화려하게 부활했고, 현 정부의 4대강, 과학벨트 등 민감한 쟁점과 관련해 가장 주목을 받고 있는 광역단체장이기도 하다.

Q. 조국의 정치 참여 가능성을 얼마나 보나? 대권 주자로서 부상할 여지는 어느 정도라고 생각하는지.

A. 조국은 법학자이지만, 정치, 사회적 이슈에 대해 자신의 적극적인 의사표명을 하고 있다. 최근엔『진보집권플랜』이라는 책을 출간하면서 보수와 진보, 양 진영에 논란이 될 수 있는 다양한 의제를 던진 바 있다. 사실 언론매체를 통해 전해지는 표현의 수위는 현실 정치인보다 더 직설적이다. 가령 그는 올해 초 시사 주간지 〈시사IN〉과의 대담에서 "한나라당에서는 김대중·노무현 정부를 '잃어버린 10년'이라고 하는데, 저는 지난 3년을 '저주받은 3년'이라고 말하고 싶다"고 언급하기까지 했다. 그는 이미 현실 정치에 참여하고 있고, 어찌됐건 강남좌파의 아이콘으로 떠올랐다.

하지만 정작 본인은 한 일간지와의 인터뷰에서 "나는 정치근육이 없는 사람"이라며 학계에 남아 있을 뜻을 분명히 했다. 그럼에도 불구하고 진보진영 차기 대권주자군이 향후에도 계속 지리멸렬한 상황을 보이게 된다면 정치권 밖에서 영입할 새 인물로 가장 우선적으로 거론될 가능성이 있다. 아직은 일반 유권자들로부터의 인지도가 높지는 않은 편이라 여론조사를 할 경우 지지율은 높지 않겠지만, 손학규가 분당에서 승리했던 것처럼 진보진영의 외연을 넓혀줄 학자, 아니 정치인으로 주목받을 것이다.

Q. 강남좌파에 대한 관심이 높아진다. 조국이 상징격이다. 강남좌파의 실체가 있다고 보는지. 이들이 현실정치에 미치는, 또 미칠 영향력은 어느 정도인지 생각을 듣고 싶다.

A. 강남좌파는 좌파 중에서도 고학력, 고소득, 전문직 종사자들을 일컫는 것으로, 기존에도 실체가 있긴 했지만 진보진영의 집권을 위해 그들 계층이 꼭 실천적으로 참여해야 한다는 절박감에서 최근 새로이 나타난 신드롬이라고 생각한다. 과거에 우파가 두 번

연속해서 정권을 빼앗기면서 '뉴라이트'가 등장해 보수집권 플랜의 한 축이 되었듯이, 강남좌파는 진보진영의 집권을 위한 중요한 축이 될 것이다.

그들은 사회적으로 성공을 이룬 탓에 몸은 우파 중심지, 즉 강남에 속해 있지만, 사상은 진보적인 사람들이다. 따라서 강남이라는 표현은 특정 지역을 일컫는 말이 아니라 사회적으로 성공을 이룬 계층을 의미하는 것으로 해석하는 게 맞다. 물론 그들이 강남이나 분당 등 땅값 비싼 지역에 많이 살고 있다는 점을 생각하면 강남좌파의 '강남'이 실제 '강남'일수는 있다.

중요한 것은 그들이 전통적인 의미의 좌파하고는 다른 '뉴레프트'라는 것이다. 전통적 좌파가 노동자 계층을 주요 기반으로 했다면, 강남좌파는 사무직 또는 전문직 계층을 기반으로 세련된 진보주의 운동을 펴고 있다는 점이 차이점이다. 그들은 트위터, 페이스북 등을 통해 이미 지난 지방선거부터 적극적으로 의견을 개진하면서 진보집권 플랜의 역할을 하기 시작했고, 2012년 총선과 대선에 뚜렷한 역할을 할 것으로 보인다.

Q. 유리한 학벌, 수려한 외모. 정치인에게 있어서 좋은 조건이라고 볼 수 있을까?

A. 둘 다 좋은 조건이다. 학벌이 중요하기 때문에 학력을 위조하거나 과대 포장하여 선거 이후 기소돼 결국 당선무효형을 받는 정치인이 부지기수다. 〈동아일보〉가 최근 명지대 미래정치연구소와 함께 중앙선거관리위원회로부터 자료를 받아 18대 총선 때 득표율이 해당 지역구의 정당득표율보다 10퍼센트포인트 이상 높게 받은 '선호 후보' 158명을 분석한 결과, 후보 개인의 경쟁력이 입증된

'선호 후보'의 표본은 50대 초반의 나이에 석·박사 학력이었다.

외모도 중요하기 때문에 성형수술까지 받는 정치 지망생들이 늘어나고 있다. 실제 외모가 잘 생긴 정치인일수록 TV에 더 자주 나오고, 많이 노출된다는 연구결과가 작년 한 저널(International Journal of Press-Politics)에 발표된 바 있다. 뿐만 아니라 외모와 선거가 연관성이 있다는 연구도 있었다. 1972년 캐나다에서 실시된 연방선거 결과를 분석한 한 연구보고에 의하면, 이른바 잘생긴 집단과 못생긴 집단의 득표율을 비교했는데, 잘생긴 집단의 평균득표율이 32퍼센트, 못생긴 집단의 평균득표율이 8퍼센트로, 잘생긴 집단의 당선율이 훨씬 높게 나타났다.

Q. 여론조사를 보면 고정지지층으로 한나라당 30퍼센트, 민주당 20퍼센트대가 고착된 듯하다. 이 구조가 2012, 2017년까지 온전할 거라고 보는지.

A. 조사기관, 조사방법에 따라 차이는 있지만, 한나라당은 대략 35퍼센트 안팎, 민주당은 25퍼센트 안팎의 지지율을 보이고 있는데, 이번 4.27재보궐선거에서 여당의 패배로 격차가 줄어들어 〈리얼미터〉의 재보선 직후 조사 결과(4.28~29) 한나라당이 34.2퍼센트로 조사됐고, 민주당은 32.7퍼센트로 상승해 오차범위 내로 격차가 줄어들었다. 물론 선거 승리의 효과로 일시적인 상승일 수 있으나, 최근 전화번호부 미등재가구를 포함한 여론조사 결과, 즉 RDD^Random Digit Dialing 방식이 도입되면서 야권 성향의 지지층이 과거보다 여론조사에 많이 참여하게 됐다. 따라서 대략 5퍼센트 안팎의 차이를 유지하면서 총선과 대선까지 치열한 경쟁을 할 것으로 보인다.

Q. 진보정당의 독자적 지지기반은 언제쯤 구축될 수 있을까?

A. 노무현 김대중 두 전직 대통령의 갑작스러운 서거로 진보적 유권자들을 이끌 유력 인물이 사라지면서 야권은 인물보다는 정당에 의존할 수밖에 없었는데, 진보진영의 분열된 정당체제는 표를 결집시키지 못했다. 하지만 이번 4.27재보궐선거를 통해 확인된 바, 진보진영의 유권자들은 단일화된 정당체제를 원하고 있으며, 단일화된 체제가 성립할 경우 표가 결집되어 진보진영이 승리할 수 있다는 가능성을 보여주었다.

그러한 차원에서 재보궐선거 이후 노무현재단 이사장 문재인이 주목을 받고 있다. 문 이사장은 진통을 겪고 있던 김해을 야권 연대 협상에 중재자로 나섰던 주인공으로, 야권 통합의 범주와 관련, "국민은 (민주당·민주노동당·진보신당·참여당 등이) 대체 무슨 차이가 있느냐고 의아해한다"며 "한나라당과의 차이는 크지만 야당 간 차이는 작은 것이어서 함께 손잡고 갈 수 있다는 게 국민의 판단"이라고 밝혔다. 야권 연대는 올 하반기 총선을 앞두고 본격적인 논의가 시작될 것으로 보인다.

Q. 유시민처럼 젊은 유권자를 지지기반으로 삼은 것 같다. 양자를 비교 또 대조한다면. 2012년 유시민의 운명도 전망한다면.

A. 유시민은 이번 김해(을) 재보궐선거 패배로 당분간 활동반경이 위축될 수밖에 없다. 하지만 정치공학 측면에서 그의 머리를 따를 정치인이 별로 없어 보인다. 결정적으로 유권자들로부터 두 번이나 배척을 받았기 때문이다. 장관을 경험한 이후 무게감 있는 행보로 주목을 받고 있지만, 야권단일화 과정에서 보여준 얄미울 정

도의 전술은 끝내 국민참여당을 의석수 제로에 머무르게 하고 말았다.

하지만 유시민은 패배의 원인 분석에 이미 들어갔을 것이고, 조만간 새로운 전략을 수립해서 야권 통합의 테이블에 나타날 것이다. 선거 패배에 따라 손학규에게 대선주자 지지율이 뒤쳐져 있는 상황이지만, 작년 하반기처럼 언제고 다시 손학규를 앞서 야권 대선주자 1위의 자리에 복귀할 수 있다. 민주당에서는 인정하고 싶지 않겠지만, 여전히 많은 유권자들은 그를 노무현 대통령의 후계자라고 생각하기 때문이다.

Q. 정치 컨설턴트 관점에서 조국의 '대망론' 을 위한 조언을 해준다면.

A. 현실 정치에 진보적 학자로서 의견을 제시하는 현재의 수준에서 벗어나 정치의 주체로 참여를 하게 될 경우 다양한 차원의 준비가 필요하다고 생각한다. 학자나 법관이 현실 정치에서 바로 대망을 품기에는 현실 정치가 워낙 복잡하고, 유권자들도 그러한 사람들에게 쉽게 표를 주지 않아왔던 역사를 생각하면 과거 전 대통령 김대중, 노무현이 그러했듯이 본전 생각하지 말고 '강남' 타이틀을 벗고 서민들의 아픈 현실 속으로 깊숙이 파고 들어가야 한다.

그가 좋아하는 야구로 예를 들어 보자. 해설위원 잘한다고 감독 잘하는 것이 아닌 것처럼, 필드에 나가서 선수들과 땀을 흘릴 시간이 필요하다. 그것이 시민단체건, 선거이건 어떤 형태로든 유권자들이 원하는 바가 무엇인지 직접 필드에 나가서 듣고, 구체적 실천 방안을 몸소 터득하고 마련해야 한다. 그것이 준비되어 있지 않다면 대망론은 말 그대로 대망론에 그칠 수 있다.

Q. 조국이 경계해야 할 '함정' 또한 조언해준다면.

A. 연구실에서 꿈꿔온 이상만 갖고는 현실 정치에서 이용만 당하다 캠퍼스로 되돌아갈 가능성이 높다. 교수 출신의 선배 정치인들이 실제 그런 식으로 많이 정계를 떠났다. 정치는 생물이고, 그곳에서 살아남으려면 학자로서의 지식뿐만 아니라 투사로서의 파이팅이 있어야 한다. 그가 말했듯이 정치근육 없이 허약체질로 정계에 들어왔다가 장렬하게 전사할 수 있는 것이다. 그가 대망을 품고 있다면 학교에서 이론적 무장뿐만 아니라 정치근육을 제대로 만들고 정계에 입성할 필요가 있다. 강남 출신, 교수 출신임에도 불구하고 강북우파 유권자들이 감동하고, 선배 정치인들의 구태에 맞서 싸우는 그런 근육이 말이다. 그 근육이 이두박근이든, 삼두박근이든 근육이 필요하다.

[2] 구도의 관점에서
_공희준

'강남좌파'를 조어한 이가 전북대 교수 강준만이라고 한다. 2006년 5월 월간 〈인물과 사상〉에서 처음 언급한 기록이 실제 있다. 그러나 이보다 앞서서 '웰빙좌파'라는 말로 '뉴레프트'층의 출현을 짚어낸 이가 있다. 바로 정치평론가 공희준이다. 공희준은 2007년 대선 당시 여당이 강북 대 강남의 대결구도로 끌어가지 않으면 필패할 것이라고 예언했다. 지금 돌아보건대 강남으로 상징되는 한국사회 '가진 자'들의 위세에 '없는 자'들이 짓눌리는 형국으로 볼 때 그 전망은 상당한 타당성을 지녔다.(그러나 당시 여당은 상대 후보의 BBK 의혹에 올인하다시피 했다.) 공희준은 이명박 정권 출범 직후부터 '노무현 버리기'를 하지 않는 이상 앞으로 진보진영의 미래는 없다고 강조한다. 사실 노무현 이름을 앞세워 치른 2011년 4.27 재보선에서 야권은 노무현의 고향 김해에서조차 배척됐다. 비상한 판, 프레임 읽기다. 그에게 '강남좌파' 구획 아래에서 조국의 앞날을 예측해달라고 요청했다.

Q. '강남좌파'란 개념, 2005년에 처음 언급했다.

A. 예전이나 지금이나 내 소신은 변함이 없다. 한국사회가 가야 할 방향은 비영남-반강남이라고 여전히 믿고 있다. 여기서의 비영남은 탈냉전을 말한다. 반강남은 요즘 유행하는 공식 용어로는 신자유주의, 더 엄밀하게 표현하면 돈 놓고 돈 먹기의 배금주의, 그야말로 돈이 최고라고 믿는 더러운 배금주의를 배격하자는 뜻이다. 그런데 문제는 지금의 상황에서는 비영남-반강남을 본격적으로 내세워도 모자랄 판인데, '닥치고 영남후보'의 연장선상에서 튀어나온 유시민이 으스대고 있다는 거다. 게다가 한 술 더 떠서 반강남을 해야 할 상황임에도 "강남 사는 게 전혀 부끄러운 게 아니다"라고 오히려 큰소리치는 강남좌파가 득세하고 있다.

Q. 강남좌파들의 경우는 한나라당 식의 색깔론을 원천적으로 배격하고, 좌파노선에 입각한 시각들을 갖고 있다. 냉전주의자 또는 배금주의자들이라고 몰아붙이기에는 곤란하지 않을까?

A. 그렇지 않다. 정치는 철저하게 결과만 놓고 봐야 한다. 동기를 볼 필요는 없다. 그건 이미 마키아벨리가 500년 전에 통찰한 진리다. 우리가 충분히 경험했듯이 말이다. 언제부터인가 주사파들이 한국사회에서 퇴조하기 시작했다. 그게 언제냐면 북한이 심각한 식량난에 빠지기 전의 일이다. 동구권의 붕괴와도 무관하다. 즉 사회주의 체제의 실상이 폭로되어 주사파가 몰락하기 시작한 게 아니라 왕년에 반미를 부르짖던 386운동권 스타들이 미국에 본격적으로 유학을 가는 시점부터 주사파가 퇴조했다. 자기들이 미국물 먹고 왔을 때, 곧 남이 미국물 먹었을 때는 반미를 외쳤지만 자기가 미국물을 먹고 난 다음부터는 반미를 안 외쳤다는 거다.

마찬가지다. 강남좌파란 거, 사실 이건 말이 안 되는 소리다. 예컨대 강남좌파란 게 얼마나 말이 안 되는 표현이냐면 이 세상에 '여성친화적 성폭행'이란 게 있을 수 있나? '여성친화'건 '여성 비非친화'건 간에 성폭행은 성폭행인 거다.

좌파를 표방하건 우파를 표방하건 간에 강남 사는 사람들은 한마디로 '민나 도로보데스', 즉 전부 도둑놈들이다. 요즘 유행하는 강남좌파란 것은 단지 집이 강남에 있기 때문에 강남좌파가 아니다. 궁극적으로는 강남이 상징하는 어떠한 사회적 토대, 강남이 상징하는 어떠한 구조적 틀을 인정한 다음에 뭔가를 하자는 사람들이다. 우리나라에는 분명 근본적인 사회적 모순이 존재한다. 모름지기 명색이 좌파라면 근본적인 모순의 근원을 뿌리 뽑아야 한다는, 개혁해야 한다는 전제가 있어야 하는데, 강남좌파들은 그걸 건너뛰고 진보하자는 소리다.

무엇을 건너뛴다는 것이냐. 사회의 근본적 모순을 건너뛰자는 거다. 말하자면 이렇다. 강남좌파라는 것은 철저하게 미국식 패러다임의 소산이다. 매니지먼트인 거다. 정치Politics와 행정Administration의 가장 큰 차이는 이것이다. 정치는 기존의 질서를 새롭게 뜯어고치고, 동시에 새롭고 창조적인 방향으로 나아가는 것이다. 반면 행정은 기존의 것들을 그대로 인정하고 잘 유지하는 것이 목적이다. 행정의 역할은 닦고, 조이고, 기름 치는 일이다. 발명과 창조는 아니다.

그러나 정치는 R&D다. 연구와 개발이 주된 임무다. 새로운 것을 연구, 개발, 발명, 창조하는 것이 정치고, 행정은 닦고, 조이고, 기름 칠하는 것인데, 강남좌파들은 기본적으로 행정의 연장선상에 있는 사람들이다. 닦고, 조이고, 기름칠하는 사람들이다.

Q. 일전에 강남좌파의 전형적 이미지로 "스타벅스에서 체 게바라 평전 읽는 이들"이라고 했다.

A. 옛날에 스타벅스에서 체 게바라 마케팅을 벌인 적이 있다고 하는데, 그건 스타박스 회사 측 얘기잖아. 또 있구나. 하나 더 덧붙이자면 스타벅스에서 체 게바라 평전을 읽는 자신의 모습을 사진으로 찍어서 싸이월드에 올려. 그리고 이렇게 자랑해. 나 이만큼 진보적이라고. 선민의식이다. 강남좌파들이 욕하는 정당은 한국 정치에서 봤을 때는 한나라당이 아니다. 민주당이다.

강남좌파들 같은 경우에는 한나라당의 실체를 인정은 한다. 같은 욕을 하더라도 실체를 인정하고서 하는 욕이 있고, 실체조차 부정하면서 하는 욕이 있는데, 강남좌파들이 한나라당을 욕할 때는 한나라당이란 실체를 인정하고 욕을 한다. 그러나 민주당은 실체를 인정하지 않는다. 여기서 인정하지 않는다는 것은 있는 걸 없다고 인정하지 않는다는 뜻에서 실체를 인정하지 않는다는 게 아니라 그렇게 있다는 존재 자체를 죄악시한다는 의미에서 부정한다는 의미다. 과거 남한에 반북주의가 팽배했을 적에 북한의 실체를 인정하지 않았던 것과 똑같은 심리적 메커니즘이다.

강남좌파를 상징하고 대변하는 정치집단들이 있다. 진보신당이 대표적이고, 유시민 세력도 역시 여기에 포함된다. 나는 강남좌파와 관련해서 가장 한심하게 여기는 정당이 진보신당이다. 강남좌파 근성에 찌들대로 찌들어 있다. 요새 사람들 입에 자주 오르내리는 조국의 경우에도 정당을 기준으로 삼자면 진보신당에 가장 우호적인 스탠스를 공개적으로 취하고 있고. 내가 그 사람들을 왜 한심하고 형편없다고 생각하느냐면 강남좌파들이 민주당을 비판할 때는 민주당의 보수성을 비판했던 거다. 민주당의 보수성 내지 우편향성을 옛날부터 지금까지 계속 비판해왔던 거다.

Q. 민주당의 보수성이나 우편향성이 싫은 게 아니라 뭔가 싫어하는 또 다른 것이 있다는 이야기인가?

A. 민주당의 촌티가 싫고, 빈티가 싫은 거다. 비유하면 강남좌파란 거는 스타벅스에서 우아하게 체 게바라에 관한 얘기는 하고 싶어도 저기 종로5가의 광장시장이나 동대문 지나 황학동 가서 곱창은 절대 먹고 싶지 않은 사람들이다. 그 사람들한테 좌파는 하나의 훈장이다. 강남좌파의 본질은 강남에 있다. 좌파에 있는 게 아니다. 내가 그 사람들한테 단도직입적으로 물어봤다고 가정해보자. 강남과 좌파 중에서 하나만 선택해보라고. 그럼 그 사람들 속내는 정확히 뭔지 아는가? '우리가 좌파는 안 할망정 강남에는 계속 살 거야!' 바로 이거다.

이를테면 미국 같은 경우도 '리무진 좌파'란 부류가 있다. 리무진 좌파들이 얼굴 맞대고 싸우고 싶은 대상은, 정확히는 어울리고 싶어 하는 상대방은 그들처럼 리무진 타고 다니는 미국의 소위 네오콘들이다. 한마디로 전쟁이든, 평화든 동급들과 하고 싶은 거다. 내가 알기로는 과거에 미국 자동차시장에서 가장 싸구려로 통용됐던 차량이 아마 옛날 유고슬라비아에서 수입된 차들일 거다. 미국의 리무진 좌파가 어울리고픈 대상은 동유럽에서 생산된 고물차를 몰고 올 미국의 노동자 계급은 아닌 셈이다. 내가 예전에 빌 클린턴 회고록을 봤는데, 클린턴이 정말 난 사람은 난 사람이다. 미국에서도 강남좌파적인 사조가 한때 유행했었다. 이른바 히피다. 우드스탁에서 마약 먹고 그런 애들.

Q. 60년대를 풍미했던 반전운동에서 비롯된 흐름들을 말하는 것이군.

A. 자세히 보라. 미국의 히피들이 어떤 특징이 있냐면, 다들 백인들이다. 히피들의 대개의 특징이 또 뭐냐면, 특히나 히피문화의 이념적 토대를 제공한 젊은 친구들은 미국 동부의 먹고살만한 집안 출신들이란 점이다. 요컨대 아버지가 디트로이트에 있는 제너럴모터스 공장에서 생산직 노동자로 근무하는 그런 사람들은 없었다. 그리고 히피들이 이후에 뭐가 됐냐면 그들 중 대다수가 나중에 월가로 갔다. 월스트리트 말이다. 2008년에 세계적 규모의 미국 발 금융위기가 발생했을 때 월가에서 사태를 촉발시킨 인간들 중에 왕년에 히피 아니었던 놈이 없는 거다. 히피고 나발이고 결국은 한철의 유행이고, 한 때의 트렌드였을 뿐이다.

클린턴이 정치를 하면서 제일 먼저 싸웠던 사람들은 공화당이 아니었다. 공화당원이나 KKK 단원과 싸운 게 아니라 미국 민주당 내에 숨어 있는 이른바 신좌파 내지 문화좌파와 싸운 거다. 당시에, 그러니까 클린턴이 아버지 부시로부터 정권을 찾아오기 전이다. 미국 정치에서는 그때를 '민주당의 암흑기'라고 부른다. 닉슨 시절까지 거슬러 올라갈 수 있는데 중간에 카터 빼놓고는 공화당이 거의 20년 가까이 백악관을 차지했다.

공화당이 장기집권할 수 있는 원인을 제공한 요소 중의 하나가 미국 민주당이 언제부터인가 미국 국민들의 평균적인 경제적 이해관계를 대변하는 정당이 아니라 히피 펀드는 정당, 동성애자 옹호하는 정당, 마약쟁이 두둔하는 정당, 그리고 낙태 찬성하는 정당, 문자 그대로 어떠한 주변적인 문화적 이슈들, 비유하자면 개인의 취향과 관련된 문제들만을 중시하는 정당이 돼버렸다는 데 있었다.

취향과 관련된! 그런 영화 제목도 있었다. '타인의 취향'이라고. 예컨대 국민의 삶을 논하는 정당이 아닌 타인의 취향을 논하는 정당이 돼버린 거다. 동성애 옹호 정당, 낙태 찬성 정당. 미국의 평범한 일반시민이 봤을 때는 아무리 부자들을 옹호하는 정당이라고 하더라도 최소한 공화당은 국민이 이해할 수 있는 주제를 얘기하는 정당이었던 거다.

우리나라도 마찬가지다. 강남좌파들이 뭔가? 엊그제 동성애자인 모 영화감독이 같은 남자와 결혼했다고 대서특필하던데, 난 동성애 관심 없다. 대부분의 사람들은 찬반을 떠나서 동성애 자체에 아예 관심 없다. 남자끼리 하든, 여자끼리 하든, 동성끼리 하든, 이성끼리 하든 지들끼리 밤에 바지춤 내리는 일이 나하고 무슨 상관인가? 나하고 아무 상관없다. 나는 찬반 의견조차 없는데, 그게 가장 중요한 이슈라고 생각하란다. 솔직히 말해서 나도 밤에 못하는 처지인데, 남이 밤에 어떻게 하든 그게 나와 무슨 관계가 있나? 나도 못하는 판인데.

Q. 2005년에 열렸던 APEC 개최장소를 제주에서 부산으로 변경한 것을 계기로 친노에서 반노로 노선을 바꾼 것으로 안다. 영남 패권주의에 대한 강한 문제의식은 일리 있으나 '영남 불가'는 지나친 일반화의 오류에서 시작된 것은 아닐지.

A. 노무현 정부의 힘이 최고조에 달했을 때는 17대 총선에서 원내 과반수 의석을 획득하고, 노무현이 헌법재판소의 탄핵재판에서 승리했을 때였다. 그때 노무현이 했던 게 뭐냐? 국가보안법을 개정한 것도 아니고, 부동산 안정을 위한 획기적 조치를 취한 것도 아니었다. APEC이 부산으로 가고, 김혁규가 총리 후보로 지명된 거였

다. 그게 바로 참여정부의 진정한 실체다. 동시에 그게 유시민의 실체이자 국민참여당의 실체일 수도 있다.

김대중 정부가 힘이 제일 좋았을 때 했던 일은 동교동 사람들 요직에 앉히는 게 아니었다. 광주나 전주에 공장 세우는 일도 아니었다. 김대중 정부는 권력이 가장 강했을 시절에 진정으로 국가의 전체적 이익에 기여할 수 있는 정책들을 과감하게 채택하고 집행했다. 노무현 정부는 이와는 전혀 딴판이었다. 더욱이 APEC이 부산 간다고 나라에 크게 득 될 것도 없었다. 그 당시에 어떤 분으로부터 전화가 왔다. 제주도 분이었다. 그분이 나한테 그러더라고. 제주도는 지금 완전 민란 분위기라고, 민란! 근래 문성근이 하고 있는 사이비 민란이 아니고, 진짜 민란이었다. 왜 민란이냐? 그 당시에 제주도에 배정된 지역구 국회의석이 세 석 정도 됐을 거다. 전부 다 열린우리당을 찍어줬다. 부산에서는 한나라당이 싹쓸이했고. 자기 당선시켜준 제주도 것 뺏어다가 자기 안 찍어준 부산에 문자 그대로 이거 한 거잖아? 봉헌! 나는 APEC 보고서 노무현 정부에 대한 정나미가 딱 떨어졌다.

그리고 참 웃긴 사람들인 게, 자세히 보라. 내가 국민참여당을 왜 영남이라고 보냐면 2004년 당시에 유시민 주변에 뭉쳐 있던 사람들이 지금 대부분 국민참여당에 와 있다. 2004년에 노무현이 김혁규를 총리로 앉히기 위해 한나라당에서 끌어왔을 때 김혁규를 비판한 영남쪽 사람들은 거의 없었다. 도리어 노무현의 결단이라고 칭송하기 바빴다. 그런데 그 사람들이 한나라당에서 손학규가 날아오니까 그건 또 욕해. 한나라당에서 실컷 권력 누린 거는 손학규나 김혁규나 피장파장, 오십보백보, 피차일반이다. 그럼에도 손학규는 비토해도 김혁규는 욕하지 않나. 그 이유는 아주 적나라하면서도 섬뜩하다. "우리가 남이가?" 같은 영남이니까. 왜 이런 말을 하냐면 강남좌파와 영남은 동전의 양면이기 때문이다. 보자. 조국의 고향이 어딘가. 부산이다. 조국이 만약에 광주나 전주 출신이었으면 그렇게 띄워줄까.

〈한겨레〉를 비롯한 이른바 개혁언론을 보라. 호남 네티즌들이 말하는 영남패권주의에 아주 철저하게 찌든 사람들 일색이다. 왜? 영남에서의 1표는 호남에서 10표의 가치가 있다고 그 사람들은 아직도 공공연하게 떠들고 있다. 인간은 평등한 존재인 거다. 한 명 한 명이 다 존귀한 사람들이다. 그 사람들 얘기는 이건희 한 명에게는 평범한 노동자 1만 명의 가치가 있다는 소리와 똑같다. 그게 뭔가? 북한이지. 삼성이고. 그게 무슨 진보야! 유시민이 진보로 분류되는 이상에는 대한민국의 진보에는 아무런 희망이 없다. 그리고 유시민을 진보로 분류하는 진보라면 그런 진보는 천벌 받아야 한다. 한마디로 벼락 맞아야 한다.

Q. 강남좌파의 뿌리는 어디에 있다고 보나.

A. 1995년 즈음 결성된 통추, 즉 국민통합추진회의의 구성원들이 지금의 강남좌파의 원류다. 강남좌파란 건 과대포장 된 존재들이다. 왜 과대포장이냐? 강남좌파가 나옴으로써 한나라당이 손해 볼 건 없다. 강남좌파가 설침으로써 누수는 오히려 민주당에서 발생한다.

지난 17대 대통령선거에서 보니까 강남의 타워팰리스가 독립된 투표구라고 하더라고. 잘 사니까. 흐흐흐…. 타워팰리스에서 투표 결과가, 정확한 수치는 기억이 안 나지만, 2000 대 60쯤 됐을 거다. 이명박 2000표, 정동영 60표. 2000 대 600이 아니다. 문제는 뭐냐? 넓은 의미에서 좌파서적 읽어본 사람이 타워팰리스에서 60명의 몇 배는 되지 않겠나? 강남부자들 의외로 교양 있다. 전체 주민 중에 마르크스가 쓴 책 읽어본 비율을 계산하면 틀림없이 강남이 대한민국에서 제일 높을 거다. 비율 제일 낮은 데는 도봉구일 테고. 안다는 것과 행동한다는 건 근본적으로 다른 거다.

강남좌파들이 왜 욕을 먹겠나? 우리 잠깐 마오쩌둥 얘기 한 번 해보자. 물론 나중에 나쁜 짓도 많이 하긴 했지만, 마오쩌둥이 왜 훌륭한 사람이냐? 마오는 자신과 가까운 데서부터 혁명을 한 사람이다. 가령 그는 '전 중국의 부르주아지를 타도하자!'는 글을 쓰기에 앞서서 역시나 부르주아의 한 사람이었던 자기 아버지부터 들이박은 인간이다. 강남좌파들이 자본주의체제에 문제가 있다고 정말 진정으로 생각한다면 자기들이 가지고 있는 펀드부터 팔아야한다. 펀드부터! 남들한테는 재테크는 옳지 않다고 하면서 자기들수중의 펀드는 왜 안 파는가.

강남주민 중에서 진보적인 사람이 10퍼센트 정도 된다고 가정해보자. 그 10퍼센트가 자기들 집을 전부 매물로 내놓으면 강남 땅값저절로 떨어진다. 그럼 누군가 시비 걸겠지. 그 사람들이 매물로 내놓으면 다른 사람이 살 거라고. 하지만 다른 사람들은 그거 못 산다. 예컨대 10억 짜리가 9억 된다고 해서 우리 같은 사람들이 그걸사들일 수는 없지 않는가? 강남좌파란 게 다른 게 아니다. 경제적토대에 대한 문제제기는 전혀 안 하는 사람들이다. 조국에 관한 신문칼럼을 잠깐 봤다. 김순덕씨라고 〈동아일보〉에 있는. 참 웃겨, 흐흐흐. 더 얘기하면 명예훼손이니까….

그 글을 보니까 조국이 트위터에서 미국의 노엄 촘스키를 언급했다고 한다. 난 실은 촘스키도 별로 마땅치 않다. 그는 자신이 유대인이면서도 항상 유대인의 만행을 규탄하지 않는가? 그런데 촘스키란 사람의 특징이 뭐냐면 멀리, 멀리 이스라엘에 거주하는 유대인의 횡포는 규탄해도 자기 이웃에 사는 유대인의 만행은 규탄하지 않는다. 즉 강남좌파란 "개혁해야 한다. 어디부터? 나와 먼 곳부터!" 마오쩌둥은 "개혁해야 한다. 어디부터? 우리 아버지부터!" 그래서 마오쩌둥이 자기 아버지한테 먼저 나게 두들겨 맞았지만.

조국이 강남좌파의 선두주자로서 해야 할 일은 뭐냐? 나는 조국에게 정중히 부탁한다. 한나라당 때려 부수는 거 기대도 안 한다. 대신 민주당에 대해서 문제제기 하기에 앞서서 당신 동네 부녀회부터 개혁하라. 그리고 서울대 먼저 개혁하라. 나는 지금까지 조국이 서울대에 대해서, 또는 자기 동네인 강남의 부녀회에 대해서 본격적으로 문제제기했다는 소식을 별로 듣지 못했다. 그게 바로 조국과 모택동의 차이다. 모택동은 자기와 가까운 데서부터 출발해서 세상을 바꾸려고 했다. 조국은 항상 자신과 먼 데서부터 변화시키려고 하지만.

Q. 강남좌파 논란에 대해서 그동안 조국이 말한 내용이 꽤 있지 않나?

A. 조국이 머리는 좋을 수가 있다. 서울대 교수라니 좋지 않겠나. 그런데 개념은 없는 사람이다. 강남좌파, 그건 욕이다. 남들은 욕으로 하는 건데, 그걸 혼자 고맙다면서 칭찬으로 받아들여. 그러다간 나중에 심지어 '강간좌파'라고 해도 좋아할 것 같아. 나 강간좌파 맞다면서. 그것도 좌파는 좌파니까. 강남좌파는 욕이다. 아니, 남들은 욕하는 건데 그걸 좋다고 받아들이다니. 그게 뭐야? 등신이지. 머저리고. 진짜 개념 없는 사람이다.

한국에서 강남좌파만큼 스펙 많이 따지는 사람들이 없다. 만일 내가 고졸이라면 차라리 한나라당을 찾아갈망정 강남좌파한테는 연락 안 한다. 조국이 촘스키를 거론했다는데, 대한민국 국민들 중에서 촘스키를 아는 비율이 몇 프로나 되겠나? 구체적으로 누구라고 이름을 적시하지는 않겠다. 우리나라의 아주 유명하신 여성 진보 정치인이 계시다. 내가 그분과 말씀을 나누다가 그분께서 핀란드의 아호 에리키인가, 에리키 아호인가 하는 인물을 거명하더라고. 나는 처음에 대체 그 사람이 뭐 하는 사람인지 몰랐다. 내가 그래서 대화가 끝날 즈음에 충격요법 차원에서 일부러 약간 싸가지 없는 말투를 써가며 조언을 드렸다. "대한민국 국민들 대다수가 안토니오 이노키는 알아도 아호가 누군지는 모르거든요. 다음부터는 어디 가서 무슨 말씀 하실 때 안토니오 이노키는 예로 드셔도, 아호 에리키인가 하는 사람 얘기는 하지 마세요"라고.

강남좌파란 건 결국은 상류층이다. 그리고 서클이다. 서클이기 때문에 자기네들끼리만 통할 수 있는 은어, 그러니까 같은 우리말을 쓰긴 하지만 보통의 한국인들은 그들이 무슨 말을 하는지 알아들을 수 없는 얘기를 하는 법이다. 일반인들이 촘스키가 뭐하는 사람인지 어떻게 아는가? 촘스키가 새로 나온 위스키인가? 아호키가 이노키 사촌인가 하는 사람도 있을 테고.

강남좌파는 한국사회의 평범한 국민들이 발을 딛고 있는 곳과는 다른 공간에 있는 사람들이다. 강남에 사는 사람들이 뭘 알겠나? 이제 한국 언론의 문제는 조중동의 문제가 아니다. 〈조선일보〉, 〈중앙일보〉, 〈동아일보〉 그리고 〈문화일보〉가 문제가 아니라 강남 기자가 문제인 거. 내가 옛날에 〈조선일보〉에서 참 희한한 내용을 본 기억이 있다. 신입기자들의 프로필을 소개하면서 기자들 부모들까지 같이 소개해주더라고. 사고社告였나? 정확히 어떤 형식의 기사였는지는 모르겠는데, 뭐 이런 걸로 〈조선일보〉에서 명예훼손은 안 걸겠지. 내가 그걸 유심히 보니까 〈조선일보〉 신입기자의 평균적인 가정적 배경이 그거더라고. 아버님 판사하시고, 어머님 성악하시고. 대한민국에서 아버님 판사하고, 어머님 성악하는 사람들 비율이 몇 퍼센트나 되겠나? 우리 중에 아버님 판사하시는 사람 있나? 우리 어머님은 성악이 아예 뭔지도 몰라. 우리 어머님 매일 보는 게 '가요무대'야.

그런 친구들, 즉 주요 일간지나 방송사 신입기자들이 사는 동네는 또 다 강남이다. 게다가 거의 모두가 외국어고 같은 특목고 출신들이고. 7호선을 타면 옛날 가리봉에서 출발해서, 가리봉 그 정겨운 이름을 왜 바꿨는지 몰라, 동작을 거쳐 강남을 지나 도봉구까지 간다. 서울에서 가장 못사는 동네에서 출발해서, 가장 잘사는 동네를 거쳐 또 가장 못사는 동네를 가는 셈이다. 강남 기자들이 어떤 애들이냐? 청담동에 사는데, 같은 7호선 타고 갈 수 있는 상봉동보다는 비행기 타고 거의 스무 시간을 날아가야 하는 뉴욕이 더 가까운 친구들이다. 상봉동보다는 뉴욕을 더 자주 가본 애들이야. 강남 특목고 다니는 학생들한테 상봉동 아느냐고 물어봐. 아무도 그런 동네가 있는 줄 모를 걸. 망우리야 공동묘지 있으니까 한두 번쯤 들어는 봤겠지. 만일 조국이 내 앞에 있다면 나는 이렇게 얘기할 거다. "조국 선생, 혹시 앙 선생님 태어나신 구파발에 가보신 적 있어요?"라고. 아니, 상봉동보다는 맨해튼에 더 자주 가는 친구들한테 뭘 기대해? 완전 코미디라니까.

Q. 조국이 2011년 1월 20일에 "강남좌파와 영남좌파가 더 많아질 때 우리 사회가 더 풍요해지고 균형이 맞지 않겠는가?" 라고 말했다.

A. 균형이야 맞춰지겠지. 한나라당 내에서의 균형이. 강남좌파

가 득세해야 한다고? 조국의 그런 발상야말로 신자유주의에 물든 사람만이 시도할 수 있는 발상이다. 신자유주의 있잖나? Supply Side Economy, 우리말로 공급 중시 경제 강조하고, 적하효과, 곧 Trickle Down Effect 주장하는. 신자유주의란 게 별 것이 아니다. 부자에게 돈이 많이 돌아야지 거기서 떨어지는 낙숫물, 쉽게 말해서 떡고물이 가난한 사람들한테도 돌아가게 된다는 거다. 강남좌파들 얘기도 딱 그거다. 상층부의 진보한테 권력이 많이 돌아가야 일반국민들도 민주주의를 누릴 수 있다는 거다. 즉 조국이 잘 나가야지 나머지 사람도 잘 나간다, 이 소리다. 삼성이 돈을 많이 벌어야지 중소기업도 덩달아 살아난다는 논리와 도대체 다른 게 뭘까?

쇼라고 욕은 먹지만 정운찬 같은 인사마저 공생과 상생을 역설한다. 조국이 제정신 제대로 박힌 사람이라면 강남좌파니, 영남좌파니 하는 뜬구름 잡는 얘기를 할 게 아니라 오랫동안 소외되고 억눌려 살아온 강북서민들과 호남민중들이 더 많은 복리를 누려야 한다고 말해야 한다. 그런데 보라. 조국의 입에서 단 한 번이라도 강북서민들을 걱정해주는, 호남민중을 염려해주는 멘트가 나온 적이 있나? 그 양반 관심은 오로지 강남좌파와 영남좌파에 관한 일들뿐이다. 결론적으로 조국과 우리들은 딴 동네 사람이다. 왜? 강남좌파와 강남우파의 경쟁은 미국 네오콘과 일본 극우파의 싸움이다. 누가 이기든 그게 나와 무슨 상관인가? 나는 강남좌파든 강남우파든 전부 사라져줬으면 좋겠다. 그래야 강북서민들이 좀 먹고살만해지지.

강남좌파들은 자신들의 발언권이 강화돼야 한다고 주장한다. 조국이 참 비겁한 사람인 이유가 솔직하지 못하다는 거다. 강남좌파, 영남좌파의 발언권이 증가하기 위해서는 뭐가 중요한지 아는가. '강북서민의 전폭적 지원과 호남민중의 계속적인 희생'이 필요하다. 강북서민은 강북서민의 이해와 요구를 대변해줄 정치세력을 키우면 되는 거다. 이를테면 내가 집이 강북에 있어. 상봉동 주민의 이해관계는 같은 상봉동 사람이 가장 잘 대변한다. 청담동 사는 사람이 어떻게 그걸 대변해주겠는가?

Q. 강북민심은 불변하는 것일까?

A. 참여정부의 최대 정치적 패착이 뭐냐면 강북 민심을 한나라당 쪽으로 돌려세웠다는 것이다. 물론 이쪽으로 일정 정도 다시 돌아오긴 했지만, 완벽한 복원이라고 하기에는 아직 멀었다. 노무현 정부 아래서 최대로 피해를 본 게 강북이다. 자기를 뽑아준 사람들의 여론과 민심을 반영해야 기본적으로 올바른 정치가 된다. 그런데 지금의 민주당도 그렇지만 특히 참여정부 때 어땠나? 자기를 뽑아준 사람들의 이해관계와는 무관하게 시종일관 움직였다.

강북서민의 이해관계는 강북에 터를 잡은 정치세력이 가장 잘 대변하기 마련이다. 까놓고 말해서 조국이 정확히 어디 사는지 나는 잘 몰라. 본인 말로 자기가 강남에 산다고 하니까 그렇게 아는 거지. 강북의 이해관계는 강북에 사는 사람들이 가장 잘 안다. 조국이 미국에 몇 년 동안 유학을 갔었다고 하는데, 나는 그분한테 이렇게 요구하고 싶다. 미국에 유학해 있었던 기간만큼 강북의 평범한 서민동네에서 생활한 다음에야 강북좌파 운운하라고 말이다. 하지만 조국은 앞으로도, 거칠게 말하면 때려죽여도 강북에 살 일은 없을 사람이다.

Q. 그런데 조국은 아직까지는 현실 정치인으로서의 자신의 역할을 내세운 적이 없지 않나?

A. 그게 아주 비겁하다는 거다. 정치적 발언을 함으로써 자기 몸값도 높이고 정치적 이익도 누리되 책임은 지지 않겠다는 거거든. 대중이 조국을 정치적으로 심판하기 바란다면 선거에서 떨어뜨리는 방법밖에 없다. 그런데 그럴 수가 없잖나. 조국은 평생 동안 거의 끄떡없을 철밥통을 확보한 사람이다. 대학교, 그것도 서울대 로스쿨 교수잖아. 평생 가는 철밥통 챙겨둔 사람이 이제 어느 정도 안정됐으니까 정치에 관심 기울이게 되는 딱 그런 경우다. 이제 먹고 살 만해졌으니까, 나도 남자니까 지금부터 정치 한번 해봐야지, 뭐 이런 식이다. 그게 바로 영남 마인드다. 영남 마인드가 뭔가? 사내가 자기 분야에서 일단 성공한 다음에는 정치에 입문하는 것을 인생코스로 생각하는 것이 영남 마인드다. 조국도 당연히 예외가 될 수 없을 거다. 결국 조국이란 사람의 경제적 토대는 강남이고, 정신적 백그라운드는 영남이다. 그러기에 그토록 괴물스러운 강남좌파적 이야기를 서슴없이 할 수가 있는 거다. 괴물이다. 괴물.

Q. (일전에 조국은 "야권 연대를 위해 마이크를 잡는 역할이라도 하겠다"는 뜻을 밝혔다.) 야권 연대에 대한 생각은 어떤가?

A. 강남좌파들 같은 경우에는, 조국도 마찬가지인데, 정당정치를 부정하는 사람들이다. 그 사람들이 어떤 식으로 정당정치를 부정하느냐면 권리만 주장하고 책임은 안 지려고 하는 게 도둑놈 심보다. 누가 나한테 입법권을 부여한다고 하면 나는 제일 먼저 만들고픈 법이 있다. 대학교수들이 교수 신분 유지한 상태로 정치 못하게 하고, 신문칼럼 못 쓰게 하는 게 그거다. 신문칼럼은 왜 못 쓰게 하냐? 이것들은 신문칼럼을 자기소개서 용도로 쓰더라고. 유력한 정

치인들을 향해 나 한번 써달라고 유세하는 거다. 조국의 사례를 보자. 그 양반이 지금 정치적 발언을 자주 한다. 그리고 어떠한 정치적 프로그램을 주장하고. 그런데 만약에 조국이 주장하는 프로그램이 실패로 끝났다고 해보자. 그럼 조국에 대해서 어떻게 책임을 추궁할 건가? 자기가 서울대 교수직 반납할 건가? 조국은 자기가 제시한 아이디어가 채택이 되면 좋은 거고, 설사 채택이 안 되도 계속 서울대 교수인 거다.

내가 얼마 전에 '조국과 오연호의 팔자론'을 펼쳤다. 왜냐하면 진중권이 아주 잘못된 말을 했기 때문이다. 진중권은 이쪽에서 정권을 잡든, 못 잡든 조국의 팔자에는 변화가 없다고 강변하는데, 그게 아니지. 이쪽에서 요즘 부르짖는 소위 야권 연대 프레임으로 정권을 창출하게 되면 조국의 팔자는 그야말로 확 피는 거다. 최소 법무부 장관이다. 법무부 장관, 그거 엄청난 벼슬이다. 강금실이 몸담았던 로펌의 사건 수주액이 그녀가 법무부 장관 하기 전과 후가 엄청 다르다. 그 단위가 몇 억이 아니다. 몇 십억이다. 그게 팔자가 달라지는 게 아니면 대체 뭔가? 우리 인정할 건 인정하자. 정권이 왔다 갔다 할 때마다 우리도 팔자 달라졌잖은가. 마치 자기네는 권력의 향배와 무관한 것처럼 고고하게 앉아 있는 꼴들이 나는 너무 역겹다. 저것들이 물밑에서는 또 얼마나 부지런하게 작업들을 하고 다닐까.

Q. 조국을 그러면 영구히 희망 없는 카드로 규정한다는 말인가?

A. 딱 두 개의 전제조건만 충족시키라는 거다. 서울대 법학전문대학원 교수 때려치우고, 강북으로 이사 오라는 거다. 그 얘긴 뭐

냐? 내가 조국을 지지할 가능성은 빵 프로라는 거다. 조국이 교수, 정확히는 서울대 교수 포기하고, 따뜻하고 안락한 강남의 집 팔아 치운 다음에 강북의 서민들 사는 평범한 다세대 주택으로 이사 오면 세상이 나를 향해서 뭐라고 손가락질하건 개의치 않고 내가 조국을 위해서 뭘 각오가 돼 있다고. 어, 각오나 용의 정도가 아니지. 나 그런 재주 있잖아.

중요한 사실은 백성이 중요시하는 것들은 품위나 품격이 아니란 거다. 단적으로 노무현이 막말을 많이 한 탓으로 정권이 한나라당으로 넘어간 게 아니다. 국정운영에 실패했으니까 넘어간 거다. 이명박을 보라. 지금 얼마나 말 막하나. 입이 마치 원자로야. 그런데 문제는 진보의 주류야, 인정하지 않겠지만. 그리고 구제역 파동 같은 심각한 사태도 있었지만, 이명박 정권에서 아주 현저하리만큼 국정이 파탄 난 게 아니다. 품위와 품격은 한마디로 정말 배부른 자들이나 하는 소리다. 왜? 진짜 배고픈 사람은 품위나 품격 같은 거 안 따진다. 눈물 젖은 빵이 아니라 흙 묻은, 즉 땅에 떨어진 밥을 남몰래 주워 먹어본 경험이 없는 사람들은 정치에 관련된 얘기 하지 말아야 한다. 자기가 진보라면⋯. 사람이 오죽 배가 고팠으면 바닥에 떨어진 밥풀떼기를 창피를 무릅쓰면서 주워 먹겠나.

Q. 강남좌파가 전면에 나설 경우에 한나라당으로 치우쳐 있는 부유층의 표심을 흐트러트릴 수 있지 않을까 하는 기대심리도 있는 게 사실이다.

A. 내가 반문해보겠다. 이광재가 강원도지사 됐다고 해서 이건희가 깜짝 놀랐나? 나는 장담한다. 강남좌파에 대해서 가장 관심이 많을 사람을 대한민국에서 딱 두 명만 고르라고 한다면 그게 누

구일까? 누구긴 누구겠어요? 공희준과 이건희지. 나는 강남좌파를 타도할 방법을 찾느라 관심을 기울이고 있지만, 이건희씨는 어떻게든 키워주려고 관심을 팍팍 쏟겠지.

원천적으로 강남좌파의 식량이 뭔가? 강남좌파가 한나라당 지지 기반 갉아먹는 존재들이 아니잖나. 호남을 갉아먹고, 강북을 갉아먹는 사람들이잖아. 강남좌파들이 강남 지역의 아파트 부녀회들을 들이박은 적이 있나? 강남좌파들이 항상 비판하는 대상은 강남과 무관한 것들이다. 나는 강남의 아파트 부녀회 들이박는 강남좌파 한 번 보고 싶다. 그런데 한 명도 없잖나. 그게 바로 강남좌파와 마오쩌둥의 차이 아니겠나? 마오쩌둥이 우리나라 강남에 살았어봐. 강남의 아파트 부녀회들 벌써 전부 다 결딴났지.

Q. 일전에 사석에서 "조국이 한나라당으로 갈 확률이 51퍼센트다"라고 말한 적이 있다.

A. 한국사회에서는 사람들이 결국에는 정책이 아니라 정서로 간다. 감정대로 움직인다. 조국은 출발선에서부터 대통령을 바라보고 뛰는 인물이다. 군소야당으로는 갈 수가 없다. 그럼 선택지는 둘밖에 남지 않는다. 한나라당, 민주당. 그런데 내가 서두에 말했잖아. 강남좌파들은 보수성은 참아도, 촌티·빈티는 못 견딘다고. 그 얘기는 뭐냐? 확률적으로 계산하면 한나라당 51프로, 민주당 49프로라는 거다. 우리 한 번 역사적으로 반추해보자. 한나라당의 전신이 신한국당이다. 신한국당에 들어오기 전의 박찬종과 이회창. 또는 한나라당과 합치기 전의 조순. 그리고 국무총리 하기 전의 이수성이나 MB한테 총리 제의받기 전의 정운찬이 지금의 조국보다도 보수적이었나? 엄청 진보적이었잖아.

방금 열거한 인물들 모두가 현재의 조국보다 훨씬 더 진보적으로 국민들에게 각인됐던 인사들이다. 그런데 박찬종과 이회창이 왜 민주당을 택하지 않았겠나. 이유는 딱 두 가지다. 첫 번째는, 전라도당 못 간다. 전라도당은 못 간다는 소리는 김대중당은 못 간다는 논리와 똑같다. 두 번째, 촌티 나고 빈티 나는 건 싫다. 속된 말로 뭔가 좀 뽀대 나는 데로 가고 싶었던 거지. 그래서 나는 조국이 한나라당 가도 비판할 마음이 전혀 없다. 왜냐? 귀소본능이잖아. 생존본능에 충실했을 뿐이니까.

Q. 오연호가 조국을 주목하게 된 배경은 무엇이라고 보나?

A. 소위 강남좌파가 출현한 것도, 이른바 '조국 현상'이 나타난 것도 결국 그 가장 큰 원인은 〈오마이뉴스〉 사장인 오연호씨에게 있다. 오연호는 환자다. 무슨 환자냐? 묘수중독증 환자다. '문국현 실험'의 실패에 대해 오연호는 한 번도 제대로 사과한 적이 없다. 남들은 다 문국현 실험이 실패했다고 인식한다. 심지어 민주당 최고위원인 김영춘이나 전 KSOI한국사회여론연구소 소장 김헌태 같은 인물들도 실패를 인정한다. 그런데 오연호만큼은 그걸 실패라고 인정하지 않는다. 왜? 오연호는 그 당시에 자기가 문국현 카드보다 더 자극적이고 화끈한 걸 들고 나오지 못해서 소기의 성과를 거두지 못했을 뿐이라는 식으로 판단하거든.

묘수에 지나치게 의존해서 실패했다고 생각하는 게 아니라 묘수를 덜 둬서, 묘기를 덜 부려서 문제가 생겼다고 여긴다는 거다. 그 결과 이번에는 문국현 실험 때보다 더 황당하고 엽기적인 카드를 꺼낸 거다. 문국현은 그나마 약간은 대중적으로 검증된 구석이라도 있다. 조국은 정치인으로서 검증된 게 전혀 없다. 솔직히 나도 조국이 정확히 뭐하는 사람인지 몰랐다. 오연호가 조국 띄워주기 전까지는 진중권이 변희재 놀려먹을 때 쓰는 표현대로 일개 '듣보잡'일 뿐이었지. 누군가 그러는 건 들은 적이 있어. 조국이 옛날에 사노맹 활동을 했다나. 그런데 그게 도대체 언제 얘기야.

나는 진보진영이 정상화되려면 오연호 같은 사람들이 빨리 도태돼야 한다고 본다. 도태! 왜냐? 퇴출은 곤란해. 퇴출될 경우에는 자기가 마치 억울하게 쫓겨난 것처럼 또 머리 들이밀고 이 동네에 출몰할 것 아닌가? 도태돼야만 변명의 여지가 없어지는 거지. 오연호 같은 사람들이 빨리 도태돼야 진보든, 개혁이든 정상적으로 돌아갈 수가 있을 거다.

Q. '정상적으로 돌아간다' 그게 무얼 뜻하는 것일까?

A. 정당정치의 회복이다. 정정당당하게 정치하자는 거다. 자신만의 고유한 정책들을 유권자들에게 내놓고, 그 결과를 책임지라는 거다. 유권자들이 그 정책에 부족한 부분이 있다는 평가를 내리면 그 모자란 부분들을 체계적으로 채워나가서 국민들에게 좀 더 개선되고 발전된 모습을 보여주자는 거지. 그런데 지금은 그런 게 전혀 없어. 오로지 묘수야 묘수! 요렇게, 요렇게, 요렇게 하면 또 요렇게, 요렇게 될 것이라는 '경우의 수'들만 다들 남발하고 있다니까. 경우의 수의 환자들을 보면 한국축구의 암흑기가 떠오른다. 우리는 승점이 얼마고, 상대방의 골득실 차이가 얼마니 이 팀이 저 팀을 잡아주면 우리 국가대표팀이 올라갈 수 있다고 열심히 경우의 수를 계산하던 때 말이다. 죄다 제정신들이 아닌 셈이지.

정정당당한 정치, 정상적인 정치를 이룰 수 있느냐의 관건은 만신창이가 돼버린 정당정치를 복원할 수 있느냐의 여부에 달려 있다. 그런데 복원에 전력투구해도 모자랄 판국에 오히려 가뜩이나 망가진 정당정치를 더욱더 파괴하는 데 광분하고 있잖아. 야권후보 단일화 논의 자체도 정당정치 파괴의 연장선상에 있는 발상이다.

[3] 대중 코드의 관점에서
_노혜경

노혜경은 참여정부 시절 청와대 국정홍보비서관으로, 이후엔 노사모 대표일꾼으로 활동했다. 노사모 초창기 멤버로 출발한 터라 '노풍' 발현의 시종을 지켜본 인물이다. 지역주의, 금권으로 점철된 한국 정치에서도 혁명이 가능하다는 것을 체득한 경우다. 시인이며, 대학교수이면서도 현실 정치에 관해서는 선명하고 정연한 논리를 펴고 있는 그에게 '노풍'에 이은 '조풍'이 가능할지를 물었다.

Q. 최근 서울대 교수 조국에 대해 주목하는 시선이 많다. 조국이 선출직 정치인으로 나설 뜻이 있다고 보는가?

A. 생뚱맞은 답변일 수도 있으나, 조국이란 이름을 처음 들었을 때부터. 조국이 내가 편집위원으로 있던 잡지 〈아웃사이더〉에 '법창야화'라는 타이틀로 연재를 시작했을 때 처음으로 진지하게 주목하게 되었는데, 이름을 듣는 순간 '운명적인 이름이다'라고 느꼈다.

이름이 주는 인상이란 게 있다. 조국이란 이름을 그의 부모가 준 것인지 아님 보다 더 윗대 어른이 지으신 건지 모르겠으나, 이 이름에는 나랏일을 하라는 강력한 열망이 담겨 있다. 박정희, 김대중, 노무현, 김정길, 유시민 이런 이름들을 들을 때의 느낌이다. 그런 다음 두 번째로 조국이란 이름에 꽂힌 건 〈SBS〉 드라마 '시티홀'을 보았을 때다. 거기 조국 대통령이 나왔는데, 조국이 일종의 모델이구나 하고 생각했다. 이름의 힘이다.

조국이란 이름을 지니고 평생 살면서 선출직에 대해 생각하지 않는다는 건 있을 수 없는 일이다. 그러니 조국 교수에겐 스스로의 의지보다 앞선 어떤 '호출'이 있는 것이다. 어찌 보면 좀 안된 일이기도 하지만.

조국이 페이스북에 등장했을 때 드디어 시작했다, 대중친화적인 태도를 지닌 것을 보고 다행이구나 이런 느낌이었다. 『진보집권플랜』 펴낸 건 출사표라 봐야 하지 않을까?

본인이 정치에 뜻이 있는가 하는 것도 중요하지만, 그에게 시대가 허락하는 역할이 있는가가 더 중요하다. 나는 있다고 보고, 역할을 해야 한다고 본다. 질문에 정확하게 부응하는 답은 아니지만.

Q. 이제부터는 조국의 정치 참여를 전제로 여쭤보겠다. 조국의 출현을 두고 야권의 대선주자급 지도자가 부족한 현실과 연결 지으며 환영하는 시각이 있다. 다양한 후보군이 포진할수록 좋다고 봐야겠지. 어떻게 봐야할까?

A. '다양한 후보군이 많을수록 좋다'라는 말에 전적으로 동감. 그러나 대선주자급 지도자로 자리매김 되기엔 아직 증명해야 할 것이 많다. 그보다는 정치인의 이미지를 긍정적으로 바꾸는 데 크게 기여할 좋은 재목이다, 이렇게 생각한다.

Q. 김대중, 노무현 두 전직 대통령은 어찌됐건 현실 정치에 십 수 년 이상 참여해 온 인물로서 온갖 풍상을 다 겪어온 반면, 조국은 그 점에 있어 결점이라는 지적도 있다. 그가 대권 도전에 대한 꿈을 갖고 있다면 얼마만큼의 시간과 어떤 형태의 자기희생이 필요하다고 보는가?

A. 조국이 반드시 대권도전의 꿈을 지녀야 한다고 생각진 않는다. 문재인, 박원순의 사례에서 보듯, 선출직으로 나서지 않고도 정치적 영향력을 행사할 순 있다. 그러나 실제로 뭔가를 이루고 싶으면 의회로 진입해야 하는 것이 온당하고, 그게 아니라면 립서비스 정치다. 립서비스 하다가 그만두게 되면 오히려 그를 향해 있던 대중들의 정치적 열망에 환멸을 보낼 것이기에 이미 시작한 상황에서 뒤로 가는 셈이고 비겁한 일이 된다.

그런 한편, 정치에 대한 긍정적 열망이 있고 바탕이 좋다면 누구라도 잘 키우면 대선주자급 지도자가 될 수 있다. 단지 외부수혈을 통해 단박에 주자를 발굴하자는 생각 자체가 정치에 대한 무지를 드러내는 생각이다. 대통령 노무현은 재야의 경험과 정치권 경험이 결코 짧지 않았고, 대통령 이명박조차도 상당히 오랫동안 정치권에서 나름으로는 훈련을 했다. 지금 시점에서 대선주자 이야기부터 거론하는 건 조국 교수 자신과 대중에 대한 모욕이 될 거다.

겸손한 훈련이 필요하다. 대개는 적절한 지역을 선택해서 바닥부터 다져나가는 것이 요구되지만, 조국의 명성이 있으므로 그런 단계는 생략할 수도 있을 것이다. 그러나 의회 진입을 위한 노력은 단순히 배지달기 위해서가 아니라 대의정치를 위한 연습이고 소통이다. 표를 얻기 위해 뛰어보는 것이야말로 대중을 이해하는 데 꼭 필요한 절차다. 이 절차의 상당 부분을 생략할 수 있으려면 그에 상응하는, 바닥부터 확 기는 그야말로 낮은 포복이 있어야 한다. 아니면 대중이 감동할까?

연예인들도 좋은 영화, 좋은 노래라는 궁극의 자기 분야 콘텐츠 없이 오락 프로 출연만으로는 오래 못 가지 않나? 비교가 좀 '거시기'하지만, 정치적 콘텐츠를 키우는 일은 정치에 뛰어들어야만 가능하다. 큰 정치는 큰 희생이 필요한 것이고. 간단히 요약하자면 그가 뭐했는가? 그가 대중에게 해준 것이 뭔가?라는 질문에 답할 만한 것이 있어야 한다. 그렇게 보면 조국 교수는 지금 빚을 만들고 있다. 인기라는 빚이다.

『진보집권플랜』 쓰고, 야권통합운동 하고, 내가 꿈꾸는 나라 만들고 이런 것이 다 빚이다. 우선 국회부터 도전해서 갚아야 한다.

충분한 훈련과 경험 없이 인기와 이미지만으로 큰 정치를 할 수는 없다. 정치에서는 실패하고 고난을 견디는 경험도 대단히 필요하다. 즉, 시간이 투입되어야 하는 것이다. 대선주자급으로 성장하는 데 최소 총선 두 번은 투자해야 할 것 같다.

그러나 바탕이 좋고 긍정적 열망이 있는데도 불구하고 아무나 대선주자로 클 수도 없는 것이 엄연한 현실이므로, 조국의 입지나 위상은 유리한 데가 있다. 또한 조국의 이미지가 주는 어떤 기대감이 대중의 숨은 갈망이란 것을 현재의 대선주자급 정치인들이 주목해야 한다고도 생각한다. 그것이 실제 조국 교수의 특성과 부합하는가를 따지기보다 그에 부합하게끔 다듬어가는 것이 필요하다.

조국을 당장의 대선주자급이 아니라 장차 대선주자로 잘 성장하는 정치인의 모델로서 바라보면 정치권에 도움이 될 듯하다. 더 중요한 건 이번 대선을 앞둔 시기에 그가 정치에 입문함으로써 야권에 던지는 긍정적 효과다. 민주화운동 세력을 이어받아 진보개혁 세력이 앞으로 나아갈 방향에 대한 대중의 선호를 정치담론이나 정책담론이 아닌 인물 이미지로써 보여주잖은가. 조국 자신이 진보의 미래라는 게 아니라 대중의 기대하는 수준과 방향을 알려주는 푯대다.

Q. 2002년 노풍은 노무현이라는 인물 콘텐츠에, 현실에 젖어 살던 '왕년의 운동권' 386이 깨어나 미선효순 추모정서의 2030세대와 함께 손잡고 이뤄낸 민란 성격의 신화라는 평가가 많다. 이 정도의 결집력 아니고서는 정권 창출을 기대하기란 쉽지 않을 것이다. 이런 적극적 지지층의 폭발적 증가가 가능할 지도자의 요건은 무엇이라고 보는가?

A. 대중의 자발적 동의가 대규모로 폭발하던 정치가 앞으로도 가능할까, 라는 것에 대해 약간 회의적이다. 대중의 분노의 폭발, 즉 대의정치에 대한 거부와 그로부터 비롯한 폭동의 정치가 더 개연성 있는 시나리오가 아닐까. 현재 가장 중요한 문제는 실제로 힘들고 아프고 고통 받는 사람들이 너무 많다는 것이고, 그 사람들을 대의정치, 그러니까 현재 정치하는 사람들이 제대로 이해하지도, 인식하지도 못하고 있다는 것이다. 아무도 우리말을 들어주지도, 우

리 처지를 알아주지도 않는다, 알지도 못하는데 무슨 개선이고 무슨 미래냐 이렇게 느끼기 시작한다면 결과는 뻔한 것이다. 이러한 점은 정치인들뿐 아니라 정치운동하는 분들도 마찬가지이다.

지금 시점에선 그런 분노의 폭발을 막기 위한 지식인계층의 광범위한 각성과 동원이 대중의 집결보다 더 중요하다. 그 방법은 연대와 연합정치를 가능하게 하는 잘 훈련된 정당정치고. 노사모 운동(선거운동)이 아니라 '국민의 명령' 운동(정당운동)이 벌어지는 것이 바로 그러한 증거다. 대중은 충분히 깨어 있다. 오히려 간접민주주의의 틀 안에서 '선수'가 되어주어야 할 사람들이 덜 깬 것이 문제다.

여전히 비전과 희망을 제시하는 지도자는 필요하다. 그런데 끔찍한 양극화 사회 속에서 비전과 희망이란 게 무엇을 말할까?

앞으로는 열정 또는 격정이 아니라 공감의 정치가 요구된다. 뜨겁지 않고 오히려 따스한, 강력하지 않고 오히려 굳센, 포효가 아니라 조곤조곤한 대화, 계몽이 아니라 이해, 사람들의 슬픔과 아픔에 대한 이해, 요약하자면 '더 낮은 눈높이'와 '수평적 리더십'이 필요하다. 적극적 지지의 강력함보다 오히려 흔들림 없는 조용한 지지의 확산을 이루어낼, 그가 잘나서가 아니라 우리 자신을 위해 그와 같은 리더가 필요하다고 여기게 하는 그런 리더십이 필요하지 않을까? 신뢰와 연대의 리더십 말이다.

Q. 전 부산시장 후보자 김정길에 대한 조국의 발언을 두고 비판성 코멘트를 남겼다. 물론 조국이 이와 관련해 본인의 본의를 밝혔고. 그러면서 드는 생각은, 한나라당은 함량미달의 후보를 내도 '홈그라운드'의 이점 하나만으로도 승기를 잡을 수 있는데 반해 반한나라당 진영은 보다 나은 후보를 내기 위해 본질과

무관한 부분(나이)에서까지 경쟁력을 따져야 하는 현실이 참 억척스럽다는 점이다.

진보개혁진영의 지도자는 물리적으로 젊어야 한다는 건 심하게 말하면, 386세대의 배타주의다. 그의 의식이 젊은지, 아니 늘 새로워질 수 있는 탄력성과 유연성이 있는지, 늘 성찰하는지, 시대의 흐름을 읽어내는 통찰력이 있는지, 자기중심적인 완고함을 벗어버릴 수 있는지 이런 게 오히려 중요하지 않을까? 물리적 나이가 젊어도 의식이 이미 완고하고 자기중심적인 사람들 엄청 많다. 나이가 경쟁력이라는 완고한 생각도 마찬가지다.

더 중요한 점은 진보는 젊은이들의 전유물이 아니란 점이다. 진보라는 말 안에 시간성이 있어서 자꾸만 '다음세대'의 이념처럼 생각하기 쉬운데, 현재의 경제 사회 문화 질서가 누군가를 억압하고 누군가를 착취한다고 느끼는 데 나이에 따른 차별이 있을까? 표가 젊은 층에 많이 있다고 해서 진보적 지도자는 젊어야 한다는 건 인종적 수준의 편견에 버금가는 편견이다.

더구나 정치 교육이 부재한 나라에서 오랜 경륜과 경험을 쌓은 사람들을 배제하고 진보가 어디에서 신뢰를 얻나. 김정길은 진보진영에서 고맙게 여겨야 할 자산이다.

Q. 좀 거친 질문이 될 것 같다. 조국이 (비한나라당 소속으로) 대선에 나서거나 부산을 기반으로 해서 총선에 출마할 경우 그 지역에서의 공고한 한나라당세를 꺾을 수 있을지도 관심이다.

A. 대선에 나선다는 문제에 대해서는 앞에서 말씀드렸다. 그런 기대는 성급하다. 부산에서 총선 출마한다는 가정은 참 좋은 생각 같다. 다만, 조국의 출마를 위해서는 몇 가지 전제가 필요하다.

2010년의 6.2지방선거와 2011년 4.17재보궐선거를 통해 표면적 지역주의는 많이 깨어졌다. 수도권인 분당과 접경지대인 강원도의 경우 현 정부의 정책과 이념의 오류와 실패로 말미암아 더 이상 작대기 선거는 안하겠다는 유권자의식이 뚜렷해졌다. 앞으로 이 지역에서는 정책이슈를 통한 선거가 많이 가능해질 것이다. 달리 말하면, 지역주의에 기대는 노령인구와 정책을 따지는 젊은층의 대결이 될 공산이 커다.

그러나 영남의 경우, 여전히 지역주의적 성향이 온존하고, 젊은 세대의 보수성도 수도권보다 강하다. 6.2지방선거 이후 아마도 부산이 영남이라는 마지막 남은 지역주의 동토, 그야말로 나만 아는 거인의 겨울정원에 봄을 가져오는 무너진 담장 노릇을 할 것이라는 기대가 있지만, 쉽다고 보지 않는다.

부산에서 지역주의를 깨려면 우선 후보를 제대로 선정해야 한다. 누가 보더라도 인물인 사람들을 전 지역구에 걸쳐 내세우려는 노력이 필요하다. 그때까지 야권 단일 정당이 만들어지지 않았을 경우 민주당이 그야말로 인재영입을 위해 피눈물 나는 노력을 해야 한다. 수도권 어디 나가더라도 틀림없이 당선될 수 있었던 노무현, 김정길조차도 매번 고배를 마신 지역이다. 누가 나가려고 하지 않는다. 부산시장 선거 이후 될 것 같다라는 바람이 조금 일긴 했지만, 4.27 김해의 실패 이후 고민들이 깊어질 것이다.

이럴 때 조국 뿐 아니라 부산 출신의 진보적 지식인들이, 예를 들면 이해영 같은, 용기를 내어 부산 출마를 해준다면 부산시민들에겐 참으로 큰 격려가 될 것이다. 이런 분들의 부산 출마는 바람을 일으키는 데 꼭 필요한 요소다. 조국의 현실 정치 투신 자체도 관심사가 되거니와 부산이라는 지역에서 출마한다는 것 자체가 관심의 초점이 되겠지. 한국사회의 암종, 정치를 모든 분야에서 가장 낙후

하게 만드는 원인, 한나라당 존속의 실질적 기반인 지역주의를 흔들어버리는 효과가 있을 것이다. 조국만한 인재가 수도권에서 출마하지 않고 부산에서 출마한다면, 바로 그러한 선택이 크나큰 정치적 기여를 하는 일이 된다.

다만, 조국 혼자서는 돌파력이 없다. 누구라도 마찬가지다. 부산에서는 비한나라당 연대뿐 아니라 모든 후보들의 공조와 협력체제로 선거를 치러야 한다. 후보 한 사람 한 사람을 신중하게 결정해야 하고. 4.27 김해 재보궐선거에서 보았듯이 이 지역에선 후보가 누구인가가 굉장히 중요하다. 어지간하면 한나라당을 찍자, 이런 일반정서를 넘어설 수 있는 후보를 모든 지역에서 그야말로 한 묶음으로 내보낼 수 있어야 한다. 조국 혼자서 할 수 있는 일이 아니다.

두 번째 전제는, 조국뿐 아니라 부산의 반한나라당 후보들이 무엇을 가지고 출마를 하는가다. 조국의 정치적 콘텐츠가 무엇이어야 하는가라는 질문이 되겠다. 이 주제는 질문과는 무관하니 생략한다.

Q. 흔히 반한나라당 진영에서 영남 후보가 나와야 열세나마 영남표와 다수 호남표를 묶어 승기를 잡을 수 있다고 보는 이들이 있다. 이런 구질구질한 지역구도, 언제쯤이나 사라질 것이라고 보는지, 2017년 돼서는 그 구조가 온존할지 혹은 파기될지 궁금하다.

A. 나는 영남 후보가 아니라 영호남에서 골고루 지지받는 후보라고 말해야 한다고 생각한다. 나아가 가진 자들은 불안해하지 않고, 약자들은 기대와 안심을 가지는 그런 후보면 싸워볼 만한 것이다.

그러나 총선은 몰라도 대선에서는 지역주의가 분명 영향을 미칠 것이다. 불행하게도 영남 출신들은 대체로 영남사람 아니면 지지할

의사가 아직은 읽히지 않는다. 이 때문에 영남 후보론이 등장하는 것이다. 따라서 반한나라당, 더 정확하게는 민주당의 영남후보론이 나오는 건 공학적으로는 일리 있다. 무시할 수 없다.

더구나 2012년 총선을 야권단일정당 또는 단일후보로 치른다면 총선에서는 한나라당이 영남에서만 살아남을 가능성이 커다. 이 때문에 대선에서는 여전히 지역주의가 영향을 미칠 거다. 한나라당의 선거 전략이 그러하고, 지역주의로 이득을 얻는 조중동의 전략이 그러하니까. 영남 출신 인구가 대단히 많다는 것이 비극이다.

이 구질구질한 지역구도를 깨기 위해서는 민주당이 먼저 지역에 안주하는 정치풍토를 버려야 한다. 내년 총선의 공천을 어떻게 하는가, 야권통합에 어떤 자세를 취하는가, 이런 일들의 추이에 따라 민주당에 대한 평가가 변화할 것이다. 그렇게 된다면 부산의 김정길에게, 그가 민주당 후보임에도 불구하고 45퍼센트를 주었던 부산 시민들이, 어떤 호남사람 후보가 호남사람임에도 불구하고 민주당 후보이기 때문에 45퍼센트의 표를 줄 수도 있겠지.

그러나 지금으로서는 영남후보론이 좀 더 안전한 선택인 것도 엄연한 현실이라고 본다. 부산사람으로서 이런 말을 하게 되니 마음이 편치 않다. 2012년에 못 넘어서면 오래 갈 것 같다.

Q. 지극한 지지그룹과 이에 못지않은 안티그룹을 보유한 국민참여당 대표 유시민의 스타일을 두고 '뺄셈 정치'로 묘사하는 언론이 많다. 세력이 전무했던 유시민이었기에 실보다는 득이 많았다는 평가도 있다. 조국이 타산지석으로 삼아야할지, 아니면 반면교사를 삼아야 할지.

A. 노코멘트 하고 싶다.

Q. 2017년 관련해서 좀 더 여쭙고 싶다. 한 치 앞도 못 내다 보는 게 정치현실이지만, 적어도 차차기의 시대정신이 무엇인지는 알고 싶다.

A. 차기도 예측하기 어려운데, 차차기라니. 만일 2012년에 총선과 대선에서 반한나라/범진보 세력이 승리한다면 지금까지와는 상당히 다른 정치를 경험할 수 있을 것이다. 2012년에 정권교체에 성공할 경우 2017년의 시대정신은 통일을 포함하여 한 단계 업그레이드된 국가 시스템에 대한 논쟁이 되지 않을까? 희망사항이지만.

그러나 2012년 대선에 실패했을 경우 2017년 아젠다는 그야말로 민주 대 반민주로 갈 공산이 크다. 반파시즘이 될 수도 있겠고.

Q. 유권자의 절반에 이르는 여성 유권자의 정치의식이 크게 신장됐다. 조국에게 이것이 장점이 될 수 있을까? (에둘러 질문 드린 것 같지만, 쉽게 말해 준수한 외모가 플러스 요인이 될지 궁금한 것이다.) 여성 유권자의 지지를 얻기 위한 정치 비전이 있다면 무엇인지도 설명해 달라.

A. 물론 플러스 알파가 될 수 있다. 700년 전에 마키아벨리가 그랬다지 않는가. 대중은 외모에 열광한다고. 그러나 외모가 주는 호감도는 콘텐츠가 받쳐주지 않을 때는 금세 사라진다. 현재의 여성 유권자들에게 더 중요한 건 여성노동에 대한 인식, 그리고 보육과 교육, 부동산 등 직접 생활에서 느끼는 불안과 불만을 해결해낼 수 있는 정책비전이 아닐까.

그런데 선언적 차원의 양성 평등 문제는 우리 정치에서 이미 단계가 지나갔다고 보고, 특별히 여성 유권자를 겨냥한 정책보다 보편인권과 민생문제를 다뤄줘야지. 거기에 덧붙여 일종의 영성적 차원에서의 인간문제를 정치가 다룰 수 있다는 기대감을 갖게 한다면 참 좋겠다.

바른 정치를 위해

[진보개혁진영 전상서]

[유권자 전상서]

[진보개혁진영 전상서]

　대한민국 대통령이 되기 위해서 세 가지 요건이 필요하다고들 한다. △시대가 요구하는 리더십 △여론의 인기, 그리고 △스토리가 그것이다.

　대통령 노무현은 지역감정 타파를 위해 싸운 '스토리'에다 청문회 스타로서 토대를 닦아 놓은 '인기', 그리고 민주당 경선과 정몽준과의 단일화 과정에서 보여준 '리더십'이 3박자를 이뤄 청와대에 입성할 수 있었다. 이런 저력은 이명박도 있다. 서민 경제를 살릴 지도자상이라는 '리더십'에, '청계천'에서 다진 '인기', 그리고 '샐러리맨의 신화'로 일컬어지는 '스토리'를 움켜쥐었던 것이다. 물론 이게 실상이냐, 허상이냐는 논쟁은 별개다.(노무현, 이명박과 상대해 패한 두 사람은 어떤가. 이회창은 권위적 리더십, 비우호 세력의 탄탄한 반대정서, 그리고 귀공자처럼 자란 삶의 이력이 결점이었다. 정동영도 존재 여부조차 딱히 모호했던 지도력에, 얕은 인기, 뉴스앵커 말고는 딱히 대중에 각인하지 못한 빈곤한 스토리로 패했다는 지적을 듣고 있다.)

　다음 주자 중에 이런 3대 요건을 갖춘 이는 누가 있을까. 현재 두

드러진 지지를 얻고 있는 한나라당 전 대표 박근혜에게 이 세 가지 원칙을 대입해보자. 우선 인기. 더 덧붙일 말이 없다. 현존하는 정치인 가운데 부동의 1위는 박근혜의 몫이다. 다음 리더십. 2004년 17대 총선 당시 100석도 못 얻을 것으로 예상됐던 한나라당으로 하여금 120석이나 확보하게끔 했다. 박근혜가 기획한 천막당사 이벤트가 주효했던 것이다. 2006년 지방선거에서도 압승을 거두는 저력을 발휘했다. 면도칼로 피습당한 뒤에도 "대전은 어떻게 됐느냐"는 9자의 낱말로 마지막 격전지 대전마저 승리로 장식하게 했다. 한나라당에서 낙천돼 따로 나간 이들이 자기 이름 걸고 만든 당을 통해 교섭단체를 결성할 수준의 의석을 얻었다. 예수만 그런 게 아니었다. '박근혜', 그 이름에도 능력이 있었던 것이다. 지금도 소위 '친박' 세력은 이명박의 레임덕이 가중되는 와중에 빠르게 세를 불리고 있다. 정치적 발언이나 행동 없이도 많은 구성원을 흡입하는 이런 가공할 자력磁力이 맹위를 떨치고 있는 것이다. 마지막으로 스토리. 충만하다. 어머니와 아버지를 불행하게 여의고 자기 힘으로 대한민국 포스트가 됐다.

이보다 더 한 조건도 없다. 정권탈환을 노리는 민주당을 비롯한 다른 야당은 여기에 견줄 후보를 내놓지 못하고 있다. 4.27재보선에서 손학규가 한나라당의 아성 분당에서 승기를 잡기는 했으나 지표상 박근혜의 절반 수준이다. 그래서일까. 한나라당은 그 숱한 반MB 정서에도 불구하고 다른 당의 추종을 불허하고 있다.

그렇다면 '다음'은 박근혜인가. 아니, 박근혜여야 하는 것이 타당할까. 아니라고 본다. 그 세 가지 요건만 있으면 대통령이 된다는 주장은 우리 민주주의의 수준을 얕잡아보는데서 비롯된 것이다. 우리의 평균 민도^{民度}를 확 내리깎는 요인 가운데 하나는 '대통령은 영웅이다'라는 인식이다. 이는 대통령이 슈퍼맨쯤 돼 우리의 먹을거리 등 형편을 모두 격상시켜준다는 기대로 비화된다. "MB님이 다해주실 거야"라는 어떤 주부의 눈물 섞인 소망이 대표적인 예이다. (그 주부에게 보내는 편지를 뒤에 덧붙인다.) 사실 전 대통령 노무현의 재임 시절, 국민들이 나타낸 실망감도 이런 맥락이다. "왜 노무현은 우리에게 영웅이 아닌가"라는 논리이다. 거침없는 말, 권위를 벗은 행동으로 표상된 '탈 영웅적 행보'가 서민 경제의 어려움과 맞물리고, 보수정당과 언론의 마타도어와 버무려진 것이다. 이런 현상이 가중되다보니 대통령선거는 늘 영웅을 가리는 인기투표로 변질되고, 영웅이 아님이 확인된 대통령의 말로는 항상 불행하게 된다. 시장 바닥에 가서 "부자로 만들어 드리겠다"며 가당치도 않을 말을 한 이명박의 끝도 그런 의미에서 HD TV급 화질로 보인다.

이젠 정상적인 정당정치 과정을 거친 이가 대통령을 해야 한다고 본다. 이런 얘기하면 거부감을 피력할 이들이 적지 않을 것이다. '정치판에 오래 묵은 이들일수록 혼탁함이 과하다'는 인식 때문이다. 과거에는 맞는 말이었다. 그러나 부지불식, 새 정치인들은 달라졌다. 부정부패와 불법을 정말이지 찾아보기 힘들다. 게다가 이들은 국민, 특히 지역구민들 눈치를 항상 본다. 게다가 중재 능력 또한 탁월하다. 따져보라. 지역 내에 갈등이 불거질 때 누가 먼저 찾아와 발 벗고 조율하는지. 정치인들이다. 따라서 정치의 경륜이 더할수록 민주주의에 대한 이들의 조예^{造詣}는 더욱 깊어진다. 그래서 이들, 예측 가능한 노정을 걸어온 이들이 대통령이 돼야 한다는 것이다. 민주헌정을 표방한 나라에서 정치인이 대통령이 되는 것은 지극히 자연스런 현상이다. 이번에 미국 대통령이 된 신예 오바마도 실은 10년 된 정치인 아닌가. 벼락 스타, 반짝 인재는 없는 것이다.

'여의도 경력' 5년 남짓인 지금의 대통령 이명박을 보라. 그는 '여의도 정치'에 대해 모르는 정도가 아니라 혐오감 어린 시선을 갖고 있다. 더 위험스런 점은 이런 혐오감의 근원이 타협과 조율로 이름 붙여진 복잡한 의사 결정 구조에 있는 것 같다는 점이다. 이런 일이 있었지? 여당 원내대표를 불러다 여야 합의 내용에 대한 불만을 표시하고 뒤집은 일 말이다. 국회를 통치자의 거수기 정도로 보는 인식 아니고서는 할 수 없는 행태이다. 코드인사 심기도, 언론 장악 음모, 치사한 시장 간섭 같은 민주주의와 배치되는 작태들이 서슴지 않고 출몰하는 이유도 이런 배경이다.

'간판'이 없어서 골치인 진보개혁진영에게 조언한다. 기본과 본분에 충실하라고 말이다. 여의도 정치에서 1등하라는 이야기이다. 그 1등 주자에게 차기 대권이 돌아가는 시대가 올 것이다. 그렇다면 '큰 뜻'을 품은 이들이 굳이 영웅일 필요는 없다. 리더십, 인기, 스토리를 위해 자화자찬성 '인간극장' 시나리오를 만들 필요도 없다. 모두가 외면해도 진정성만 가지면 국민들이 언젠가 알아본다는 것이다. 때도 잘 맞아 떨어진다. 2년 후에는 이 '영웅형 대통령'에 대한 환멸이 극에 달할 것이다. '박근혜 불패론'도 2년 내내 선도鮮度를 유지할리 없을 것이고. 그때쯤이면 예측 가능한, 똑똑한, 민주주의를 아는 지도자를 갈망하는 시대가 열리지 않을까.

한나라당의 기고만장함도 진보개혁진영에는 유리한 부분이다. 4호선에서 2호선 갈아타듯, 친박으로 갈아타기만 하면 9년은 '니나노'라고 보고 있는 한나라당 정치인들이 적잖기 때문이다. 이런 토끼들 앞에 진보개혁진영은 거북이가 돼야 한다. 정치로, 정책으로 승부하는 당이 돼야 열린우리당이 못 꾼 100년 정당, 100년 여당의 저력도 유지할 수 있다. 체질 개선 못지않게 관점의 차별화, 태도의 혁신이 필요하다.

[유권자 전상서]

"MB님이 다 해주실 거야."

이 발언이 나온 시점은 지난 대선운동 기간 때였다. '어록'의 주인은 대통령 이명박의 후보 시절 지지세력이었던 'MB연대 아줌마부대'에 속한 김 모씨. 그녀의 이런 활동상은 대선 직후인 2007년 12월 22일 〈MBC〉 'MBC스페셜'을 통해 방송됐다. 그런데 그때 그 장면을 갈무리한 사진은 이명박 대통령이 '죽을 쑤는 상황'만 발생하면 인터넷에 급속하게 출몰한다. '지각없는 아줌마'라는 제목으로 말이다. 사실 요즘 'MB님이 다 해주실 거야'라는 얘기를 어디서 함부로 했다가는 최소한 눈총, 심하면 돌맞음을 감수해야 할 것이라는 판단이다. 경제 상황이 매우 나빠졌고, 그 원인 제공을 대통령 이명박이 했다는 다수 여론 때문이다.

그녀의 정치적 선택, 즉 MB를 지지함에 대해서 타박할 마음은 추호도 없다. 그녀는 도리어 '대통령이 누구인지' 신경조차 안 쓰며 덮어놓고 정치인을 욕하는 사람보다는 낫다. 사실 김씨는 애들 차비, 남편의 일자리 걱정에서 벗어나고자, 그러니까 더 나은 세상을 이루고자 특정 정치인에게 희망을 건 것 아닌가. 또한 심정적 지지

정도에 그치지 않고 그의 선거운동을 발 벗고 도운 것 아닌가. 적극적 결사의 표현은 민주주의의 소중한 열매이다. 그런 의미에서도 김씨의 한겨울 멸사봉공은 매우 의미 있는 가치로 평가할 수 있다.

그러나 이런 생각을 해보자. 정말 MB님이 다 해주실 수 있는 것일까. 맨 위 구멍이 주인을 잃었고, 맨 아래 단추는 남아버렸다. 첫 단추를 잘못 뀐 것이다. 대통령이 다 해주실 것이라는 믿음은 여전히 대통령을 봉건시대 절대권력자로 인식하고 있음이다. 사실 대통령 이명박의 그간 행태를 보면 '무한권력자'라는 인식을 지울 길이 없다. 앉히고 싶은 인사들에게 낙하산복 입혀 마음껏 투하하고, 입법부 내 다수의 힘을 기반으로 만들고 싶은 법을 다 만들고, 경찰·검찰·국정원·법원 등 공권력을 총동원해 저항세력을 거침없이 짓밟고 있으니 말이다. 그러나 '대한민국 대통령'인 MB님이 쓰고 있는 것이 과연 요술 감투일까?

대한민국 대통령의 '권능'을 짚어보자. 헌법에 따르면 대통령은 외국과의 조약을 체결·비준(제73조)할 수 있고, 공무원을 임면(제78조)할 수 있다. 이렇게 대통령은 2만여 명에게 청와대, 정부, 정부산하단체, 공기업 등의 직장에 일자리를 줄 수 있다. 뿐만 아니다. 우리나라의 1년 예산 규모가 200조원이라고 할 때 대통령은 집권 5년 동안 1000조원이라는 천문학적인 돈을 좌지우지할 수 있다. 대통령은 또 국정원, 검찰, 경찰, 국세청과 같은 권력기관을 통해 막강한 권력을 행사할 수 있으며, 이들 기관에서 나오는 정보도 독점할 수 있다.

얼핏 대단해 보인다. 그러나 이 권한으로 '없는 사람, 부요하게 만드는', '가난한 사람, 꿀리지 않고 사는' 김씨가 꿈꾸는 세상이 열릴 것이라는 점은 또 다른 문제이다. 지도자의 혜안과 바른 집행 결정이 변수가 된다는 얘기다. 그런 의미에서 이명박 대통령은 이 시국을 너무나 단조롭게 이해하고 있는 것이 아닌가 생각된다. 〈한겨레21〉 713호를 보면 국민참여당 대표 유시민이 지난 대선 당시 후보 이명박의 발언을 상기시킨 부분이 나온다. "이명박 대통령 본인부터 유세를 다니면서 '분식집 사장님, 장사 안 되죠. 내가 잘되게 해 줄게요'라는 말을 했다. 그러나 지금의 수급 구조(영세자영업이 만성적 공급과잉 상태에 놓여 있는 현실)에서는 미용실이나 분식집이 장사가 잘되게 하는 것이 불가능하다"라고 했다. 경제현실을 도외시하며 환상만 줬다는 것이다.

'대통령 만능주의'는 사실 시대착오적인 발상이다. 대통령 이명박은 "총수사면까지 해줬지만 투자 및 고용이 부진하다"며 연일 재계를 비판했다. 그렇다면 대통령 한 말씀에 재계가 움찔하며 투자할까. 불가능한 일이다. 왜냐. 과거 관치금융 시대에는 '정부 말 들으면 떡이 나온다'는 법칙이 있었다. 정부가 "투자하라"고 하면 투자했다. 왜냐. 손실이 생기면 정부가 은행을 통해 메워주곤 했으니 말이다. 그러나 이제는 그런 세상이 아니다. 외환위기를 겪은 뒤로 은행은 제 아무리 힘쓰는 자들이라도 뒷감당 안 해 주면서 손해 보라는 식으로 주문해봐야 들은 척도 안 하고 있기 때문이다.

'MB가 다 해주실 수 없는' 몇 가지 이유를 설명했다. 대한민국 헌정 질서는 대통령 중심제에 기초해 있지만, 대통령 만능제는 아니다. 그런 의미에서 '김씨의 기대'는 미안하지만 첫 단추를 잘못 꿴 정도에 그치는 게 아니라 아예 옷을 뒤집은 상태에서 꿴 '큰 착각'일 가능성이 높다는 판단이다. 이제 와 "왜 김씨를 구석으로 모느냐"고 할지 모르겠다. 그러나 기왕 김씨 등에 의해 고양된 '정치 참여'의 열기를 이대로 사장시키고 싶지 않다. 그래서 두 마디 더 덧붙인다. 김씨, 다음에 또 누군가에게 기대를 거실 요량이라면 좀 더 공부하신 후에 카메라 앞에서 "XX가 다 해주실 거야" 대신 "XX가 이것만은 해줄 거야"라고 하시기 바란다. 왜 고생하고 욕까지 먹는가.

_〈여성신문〉 2008년 9월 5일 '세상읽기'에 실은 내용을
　오늘의 시점에서 윤색해서 실음.

정치방송의 새 지평
'나는 꼼수다'를 소개합니다

2011년 4월 나는 다시 PD가 됐다. 〈딴지일보〉 딴지라디오의 '이명박 대통령 헌정방송, 김어준의 나는 꼼수다'(이하 나꼼수) 제작자가 된 것이다. 총수 김어준 형과 정봉주 전 국회의원, 주진우 〈시사IN〉 기자 덕이다. 또 스마트폰 보급 2,000만대 시대라는 점, 무엇보다도 국민 속에서 뜨겁게 고양되고 있는 정치 개혁에 대한 열망, 이것이 방송의 밑천이요, 종자돈이다. 그렇게 우리는 4·27재보선 다음날, 서울 마포구 성산동에 자리한 〈마포FM〉에서 첫 온에어 등을 켰다.

모든 게 주먹구구였다. 타이틀을 무엇으로 할지도 녹음 1분 전에 정했다. 사실 아이디어가 분분했다. 종국에 채택된 '나는 꼼수다' 말고 '나는 가카다', '나는 총수다'(이상 김어준), '안녕하십니까. 서울 노원구 공릉동 월계동을 지역기반으로 하는 17대 국회의원 민주당 소속 정봉주와 그 추종자들입니다', '대인의 자격'(이상 정봉주), '코리아 리크스', '명박허전'(이상 김용민) 등이 물망에 올랐다. 당일 화젯거리에 대해서는 30여 초의 구두 논의가 있었을 뿐이다. 서태지-이지아 사건이 BBK 의혹 문제와 맞물려 있을 것으로 추정된다는 내용이 첫 주제가 됐다.

시험 삼아 몇 건 올렸는데, 말하자면 '공식 오픈'이니 '개국'이니 하는 말을 입 밖에 꺼내지도 않았는데 속칭 '난리'가 났다. 청취자의 폭발적인 반응이 집중된 것이다. 그리고 두 달여, '초대박'이라는 표현으로는 설명이 부족할 정도였다. 7월 7일 9회를 기점으로 아이튠즈 집계 대한민국 전체 1위에 올랐다. 그간 독보적 1위였던 〈두 시 탈출 컬투쇼〉를 2위로 내려앉혔고, 뉴스·정치 분야에서 〈손석희의 시선집중〉을 멀찌감치 따돌렸다. 그러다가 8월 8일 미국 팟캐스트 '뉴스 · 정치' 부문 프로그램에서 1위를 차지했고, 8월 22일과 27일 업로드 된 나꼼수 호외 편과 16회는 이튿날까지 미국 아이튠스 팟캐스트 인기 에피소드 순위에서 전체 1위를 이어갔다. 미국이 아이튠스의 발원지인만큼 이를 전 세계 1위로 해석해도 무리가 아니었다.

한 지상파 드라마 PD가 "듣다보면 뒤집어진다. 통쾌하다"(김민식 〈MBC〉 PD의 블로그)며 호평하고, 유명 소설가도 "영상도 없는 것을 이렇게 열심히 듣고 있을까"(공지영 트위터)하는 반응을 보였다. 이외에도 트위터 안에서는 "커피숍에서 언니들이 떼로 모여 '나는 꼼수다'를 이야기한다. 대단하네. 그 방송"(ID:nabts)이라고 소개하는 글을 숱하게 발견할 수 있다. 한 기자의 전언에 따르면 권력 핵심부 인사가 이 방송을 듣고는 "청와대 안에 엄청난 빨대(정보원)가 있는 것 같다"며 염려했다고 한다.

사실 나꼼수 성공은 '청취자는 똑똑하다'는 철학에 기반한다. 이는 대중은 아둔하기에 그들을 선동하는 대신 계몽해야 한다는 수구적 사고로부터의 탈피인 셈이다. 스마트폰을 통한 청취자는 '스마트'하다는 믿음. 성문화(成文化)되지는 않았으나 이 프로그램의 제작 정신 제1호다.

나는 흥행에 고무돼 유료 광고를 받고 공개방송과 주 2회 방송을 해보자는 제안을 얼마 전 김어준 총수에게 했다. 그랬더니 김 총수는 "배고픈 사람들이 골방에서 시시덕거리며 떠드는 식의 콘셉트를 포기하지 말자"고 했다. 나의 거품 낀 망상은 그렇게 정리됐다.

참고로 이 프로그램은 2013년 2월까지만 진행될 예정이다. 이후에는 '그 분'이 못 들으실 수 있기 때문이다. 아무리 이 나라가 IT강국이라 해도 감옥에서까지 스마트폰을 허용하지는 않기 때문이다.

◆ 나꼼수는 아래 사이트에서 무료로 다운 받아 들을 수 있다.
① 안드로이드폰 http://old.ddanzi.com/appstream/ddradio.xml
② 아이폰 http://itunes.apple.com/us/podcast/id438624412